Le nouveau taxi ! 1

MÉTHODE DE FRANÇAIS

Guy Capelle
Robert Menand

D1215016

hachette

FRANÇAIS LANGUE ÉTRANGÈRE

hachettefle.fr

Couverture : Gilles Vuillemard
Conception graphique et mise en page : Anne-Danielle Naname
Secrétariat d'édition : Claire Dupuis
Illustrations : Pascal Gauffre, Annie-Claude Martin, Zaü
Cartographie : Pascal Thomas, Hachette éducation

Tous nos remerciements à Marie-José Capelle pour sa collaboration.

ISBN 978-2-01-155548-9

© HACHETTE LIVRE, 2009 43, quai de Grenelle, F 75 905 Paris Cedex 15, France.
http://www.hachettefle.fr

AVANT-PROPOS

Nous remercions chaleureusement les utilisateurs de *Taxi !* de l'excellent accueil qu'ils ont réservé à la méthode et de leurs nombreuses suggestions.

La présente édition du ***Nouveau Taxi !***, profondément remaniée, tient compte de leurs suggestions et de leurs souhaits : tout en préservant la démarche pédagogique, les thèmes et la progression, nous avons accentué l'**approche actionnelle** et proposé une **grammaire plus explicite**. Nous avons également développé les **procédures d'évaluation** et actualisé les **documents** et le **contenu culturel**.

Comme sa version antérieure, la méthode s'adresse à des classes d'adultes ou de grands adolescents et à tous ceux qui souhaitent acquérir une compétence de communication suffisante pour satisfaire des échanges sociaux et des besoins concrets. En tous points conforme aux recommandations du Conseil de l'Europe, elle couvre le **niveau A1 du Cadre européen commun de référence pour les langues** (CECR).

Le ***Nouveau Taxi !***, c'est :
– une structure simple et solide (une leçon = une double page) ;
– une démarche pédagogique clairement balisée ;
– une progression grammaticale rigoureuse et un lexique limité à 800 mots ;
– la mise en place de stratégies interactives dans une optique actionnelle ;
– une préparation aux épreuves du **DELF A1** et du **DILF**.

Le ***Nouveau Taxi ! 1*** présente quatre aspects : thématique, fonctionnel, communicatif et actionnel. Chaque unité est axée sur un thème dominant. La grammaire, fonctionnelle, est subordonnée aux objectifs communicatifs et actionnels. Le contenu grammatical et les actes de parole à acquérir figurent dans la double page de la leçon.

L'organisation du manuel en **neuf unités**, la structure d'une unité et le déroulement d'une leçon sont présentés dans le *Mode d'emploi* (p. 4-7). Une page *Savoir-faire* est désormais consacrée, à la fin de chaque unité, à des **activités actionnelles** proposant des tâches que l'apprenant est capable de réaliser en français. Toutes les trois unités, une **évaluation des quatre compétences**, de type DILF et DELF, permet de vérifier les acquis.

Le manuel est complété par un **DVD-Rom encarté** contenant les enregistrements des documents déclencheurs, dix-huit vidéos (une fiction et un reportage par unité) et de nombreux exercices autocorrectifs. Nous vous proposons en outre un **cahier d'exercices étoffé** (avec encore plus d'activités) et un **guide pédagogique enrichi** (des fiches *Révision*, des fiches *Approfondissement* et un test formatif par unité).

Bienvenue à bord de ce *Nouveau Taxi !*

Les auteurs

MODE D'EMPLOI

Structure du livre de l'élève

- Une leçon 0
- 9 unités de 4 leçons
- 3 évaluations de type DELF
- Des annexes :
  - Listes de vocabulaire thématique
  - Transcriptions
  - Mémento grammatical et alphabet phonétique
  - Tableaux de conjugaison
  - Lexique multilingue
  - Cartes de la langue française dans le monde et de la France touristique

Page d'ouverture d'unité

Le contrat d'apprentissage dans une approche actionnelle

Objectifs communicatifs

Objectifs fonctionnels

Renvoi à la fiction du DVD-Rom

Déroulement d'une unité

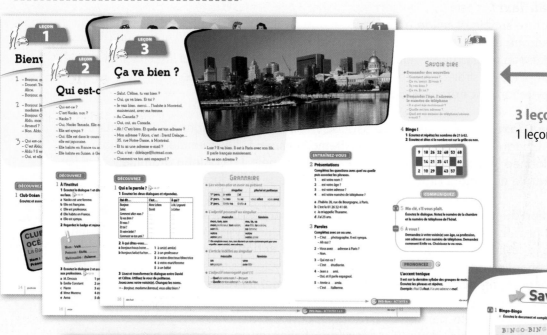

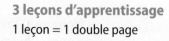

3 leçons d'apprentissage
1 leçon = 1 double page

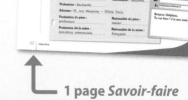

1 leçon *Arrêt sur…*

1 page *Savoir-faire*

Dans chaque leçon d'apprentissage

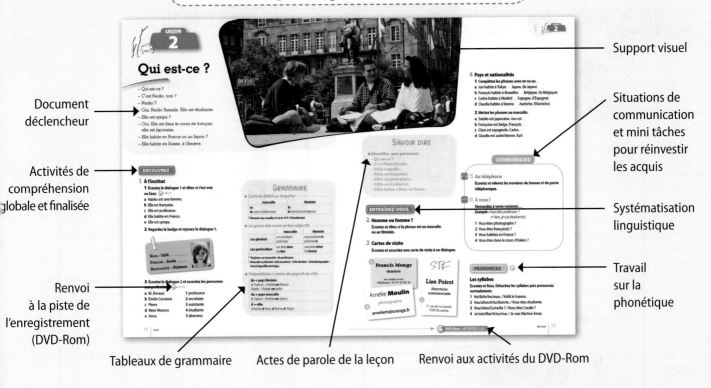

Support visuel

Document déclencheur

Situations de communication et mini tâches pour réinvestir les acquis

Activités de compréhension globale et finalisée

Systématisation linguistique

Renvoi à la piste de l'enregistrement (DVD-Rom)

Travail sur la phonétique

Tableaux de grammaire

Actes de parole de la leçon

Renvoi aux activités du DVD-Rom

La leçon Arrêt sur...

Une dernière leçon de synthèse et d'ouverture culturelle

En fin d'unité : un bilan actionnel

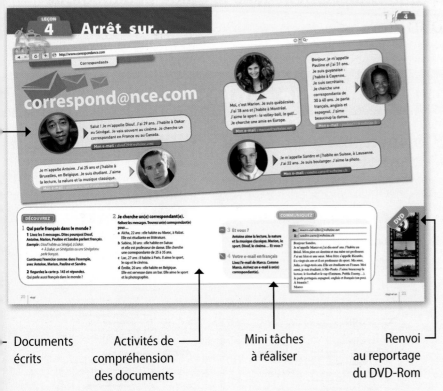

De nombreuses tâches à réaliser

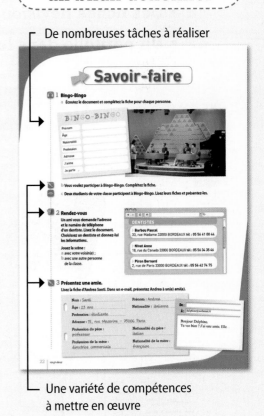

Documents écrits

Activités de compréhension des documents

Mini tâches à réaliser

Renvoi au reportage du DVD-Rom

Une variété de compétences à mettre en œuvre

 écouter

 parler

 jouer

 lire

 écrire

 activités de phonétique

piste de l'audio élève

De nombreux outils d'évaluation

- Toutes les 3 unités : 2 pages d'évaluation type DELF

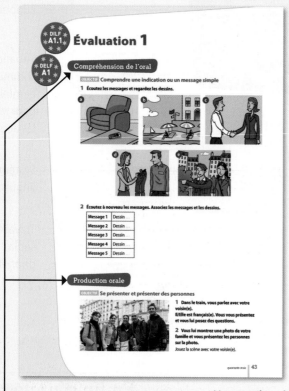

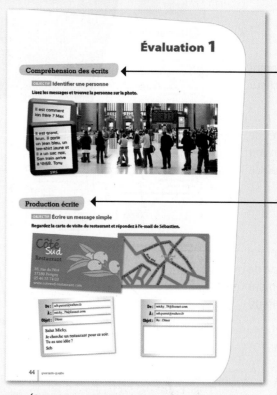

— Un travail sur les 4 compétences —

- Des fiches *Révision* et *Approndissement* dans le guide pédagogique
- Un portfolio dans le DVD-Rom

Un travail linguistique renforcé

- Des tableaux de grammaire synthétiques

- Un mémento grammatical complet

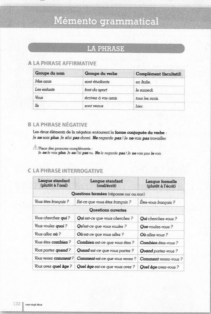

- Un cahier d'exercices étoffé

Le DVD-Rom

■ L'audio élève*

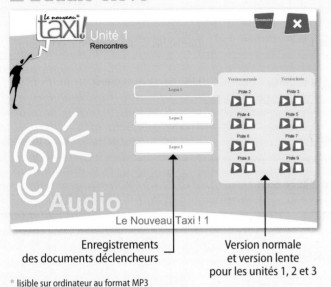

Enregistrements
des documents déclencheurs

Version normale
et version lente
pour les unités 1, 2 et 3

* lisible sur ordinateur au format MP3

■ La vidéo*

* lisible sur ordinateur au format MP3 (toutes zones) et sur lecteur DVD (zones PAL)

■ Des activités interactives*

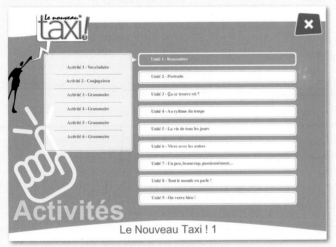

■ Un portfolio imprimable par unité

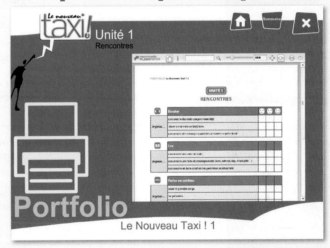

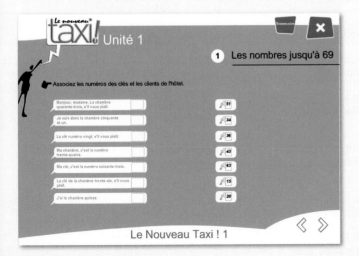

Configurations minimales requises :

Sur Mac
Système d'exploitation Mac OS 10.4 ou ultérieur.
Processeur G5 ou Intel.
256 Mo de RAM (512 Mo recommandé).
Lecteur de DVD-Rom.
Résolution 1024 x 768

Sur PC
Système d'exploitation XP ou Vista.
Processeur 1Ghz ou plus.
256 Mo de RAM (512 Mo recommandé).
Lecteur de DVD-Rom.
Carte graphique 32 Mo en résolution 1024 x 768 / 16bit.

* à réaliser sur ordinateur ou sur TBI

TABLEAU DES CONTENUS

UNITÉS	CONTENUS SOCIOCULTURELS	LEÇONS	OBJECTIFS COMMUNICATIFS Vous allez apprendre à...
Unité 1 **Rencontres**	• Le savoir-vivre • La francophonie dans le monde	**Leçon 1** **Bienvenue !**	• Saluer • Demander et dire le prénom et le nom
		Leçon 2 **Qui est-ce ?**	• Identifier une personne
		Leçon 3 **Ça va bien ?**	• Aborder quelqu'un • Demander l'âge, l'adresse, le n° de téléphone
		Leçon 4 **correspond@nce.com**	• Parler de ses goûts
DVD-Rom	**Reportage vidéo : Paris**		
Unité 2 **Portraits**	• L'habitat • Les achats • L'art et le cinéma : quelques artistes français	**Leçon 5** **Trouvez l'objet**	• Nommer, montrer et situer des objets
		Leçon 6 **Portrait-robot**	• Exprimer la possession • Indiquer les couleurs
		Leçon 7 **Shopping**	• Caractériser un objet • Demander et indiquer le prix • Exprimer des goûts
		Leçon 8 **Le coin des artistes**	• Montrer et situer des personnes
DVD-Rom	**Reportage vidéo : Les fleurs**		
Unité 3 **Ça se trouve où ?**	• L'environnement des Français • Découverte touristique d'une ville française (Marseille) et d'un département d'outre-mer (la Martinique)	**Leçon 9** **Appartement à louer**	• Situer un lieu sur un plan • S'informer sur un lieu • Décrire un appartement
		Leçon 10 **C'est par où ?**	• Demander son chemin • Indiquer une direction • Indiquer un moyen de transport
		Leçon 11 **Bon voyage !**	• Situer un lieu sur une carte • Donner un conseil
		Leçon 12 **Marseille**	• Décrire un lieu
DVD-Rom	**Reportage vidéo : L'île de la Réunion**		
	ÉVALUATION 1	**DILF A1. 1 / DELF A1**	
Unité 4 **Au rythme du temps**	• La vie quotidienne • Le sport	**Leçon 13** **Un aller simple**	• Demander et donner l'heure • Indiquer une date • Demander poliment
		Leçon 14 **À Londres**	• Demander la profession de quelqu'un • Situer dans le temps
		Leçon 15 **Le dimanche matin**	• S'informer sur une activité en cours, habituelle • Dire quel sport on fait
		Leçon 16 **Une journée avec Laure Manaudou**	• Parler des activités quotidiennes
DVD-Rom	**Reportage vidéo : L'Aveyron**		

OBJECTIFS LINGUISTIQUES			SAVOIR-FAIRE
Grammaire	Phonétique	Lexique	Pour...
Être et *s'appeler* au singulier du présent Masculin et féminin L'interrogation avec *qui*	• L'intonation montante et descendante	• Les nombres	• Se présenter et présenter quelqu'un
L'article défini au singulier Le genre des noms et des adjectifs Prépositions + noms de pays/ville	• La syllabation	• Les nationalités	• Faire connaissance avec quelqu'un
Aller et *avoir* au singulier du présent L'adjectif possessif au singulier L'article indéfini au singulier : *un(e)* L'adjectif interrogatif *quel(le)*	• L'accent tonique	• La politesse	• Demander des nouvelles d'une personne
			• Chercher un(e) correspondant(e)
Activités 1 à 6			
Le pluriel des articles et des noms *Il y a* *Être* au pluriel du présent Les prépositions de lieu L'interrogation avec *qu'est-ce que*	• Les marques orales du pluriel	• Les couleurs	• Décrire et localiser des objets
Les pronoms toniques *moi, toi, lui, elle, vous* *Avoir* au pluriel du présent La négation *ne… pas* L'accord des adjectifs avec le nom Les adjectifs possessifs au pluriel	• La liaison en [z]	• Les objets et les meubles • Les vêtements	• Identifier quelqu'un
L'adjectif interrogatif *quel(le)* L'interrogation avec *comment, combien* Les adjectifs démonstratifs *ce(s), cet(te)*	• Les liens entre les mots		• Faire des achats
			• Comprendre un texte court
Activités 7 à 12			
Les pronoms toniques au pluriel Les prépositions + nom L'interrogation avec *où*	• L'articulation tirée et arrondie	• La ville	• Comprendre une annonce immobilière
L'impératif *Prendre* au présent Les prépositions et articles contractés L'adverbe *Y*	• Les liaisons et les enchaînements	• La localisation • Les moyens de transport	• Demander et indiquer un chemin
C'est + lieu/+ article + nom/+ adjectif Les prépositions de lieu *On*	• Les liaisons interdites		• Présenter des informations touristiques
			• Comprendre des informations touristiques
Activités 13 à 19			
L'interrogation avec *quand, quelle* *Partir* au présent	• La prononciation des chiffres • L'opposition [s] et [z]	• Les professions • Les activités quotidiennes	• Réserver un billet de train
Faire au présent L'interrogation avec *est-ce que, qu'est-ce que, quand est-ce que, où est-ce que* Le genre des noms	• Les trois voyelles nasales		• S'informer sur les activités des autres
Lire et *écrire* au présent Les verbes pronominaux *Faire (de), jouer (à)* + sport	• La prononciation du [R]		• Parler de ses habitudes
			• Comprendre un article de journal simple
Activités 20 à 24			

| OBJECTIFS LINGUISTIQUES | | | SAVOIR-FAIRE |
Grammaire	Phonétique	Lexique	Pour...
• L'article partitif *du, de la, de l', des* • *Boire, acheter* et *manger* au présent	• Les voyelles [œ], [ɔ] et [ø]	• La nourriture • Les fêtes	• Parler de ses habitudes alimentaires • Faire une liste de courses
• Le passé composé avec *avoir* • La formation du participe passé • L'accord de l'adjectif *beau*	• L'accent d'insistance		• Parler de sa journée
• Le passé composé avec *être* • *Pour* et *dans* + durée future	• Rythmes, liaisons et enchaînements		• Écrire une carte postale
			• Évoquer des fêtes traditionnelles
Activités 25 à 30			
• *Pouvoir* au présent • La négation de l'impératif • Les pronoms COI après l'impératif affirmatif	• L'opposition [ʃ] et [ʒ]	• La communication professionnelle • Les compétences	• Demander et donner une permission
• *Vouloir* et *savoir* au présent • *Il faut* + infinitif • Le futur proche	• Les semi-voyelles [ɥ] et [w]		• Conseiller quelqu'un
• *Connaître* au présent • Les pronoms COD *le, la, l', les* • Les pronoms COI *lui, leur*	• Le *e* caduc		• Organiser une réunion ou une soirée
			• Se présenter dans un cadre professionnel
Activités 31 à 36			
• La fréquence et l'intensité avec *beaucoup (de), peu (de)* • Les pronoms *en* et *ça* • La négation *ne... plus*	• Le *e* entre deux consonnes	• Les loisirs • Les vacances	• Parler de ses loisirs
• La cause avec *pourquoi, parce que* • *Trop/Assez* + adjectif, *trop de/assez de* + nom • *Tout(e), tous/toutes*	• L'opposition par l'intonation		• Parler des avantages et des inconvénients de différents styles de vie
• Les verbes pronominaux au présent et au passé composé • La place du pronom à l'impératif avec un verbe pronominal	• L'alternance [ɛ] et [ə]		• Comparer des goûts et des habitudes
			• Parler des vacances
Activités 37 à 43			
• La formation de l'imparfait • Le passé récent : *venir de* + infinitif	• Consonnes sourdes et sonores	• Les médias • L'expression du temps	• Raconter des souvenirs
• Les emplois du passé composé et de l'imparfait	• L'opposition [f]/[v] et [ʃ]/[ʒ]		• Raconter un fait divers
• Le moment • Le but : *pour* + infinitif • Les participes passés	• L'opposition [i], [y] et [u]		• Raconter une première expérience
			• Écrire une courte biographie
Activités 44 à 49			
• Le futur simple	• Les consonnes doubles	• La météo • Le logement	• Parler du temps qu'il fera
• L'expression du futur : présent, futur proche, futur simple	• Consonne + [R]		• Prendre un rendez-vous
• La condition et l'hypothèse : *si* + présent, futur • Le moment : *quand* + futur • Autres verbes irréguliers au futur	• Les voyelles arrondies		• Évoquer des projets
			• Parler de l'avenir
Activités 50 à 54			

1 Les mots

1 Observez les magazines. Quels mots comprenez-vous ?

2 Connaissez-vous d'autres mots en français ?

2 Les nombres

Écoutez et répétez les nombres de 1 à 20.

1 un	**11** onze	**21** vingt et un	**80** quatre-vingts
2 deux	**12** douze	**22** vingt-deux	**81** quatre-vingt-un
3 trois	**13** treize	**23** vingt-trois	**82** quatre-vingt-deux
4 quatre	**14** quatorze	**30** trente	**90** quatre-vingt-dix
5 cinq	**15** quinze	**31** trente et un	**91** quatre-vingt-onze
6 six	**16** seize	**32** trente-deux	**92** quatre-vingt-douze
7 sept	**17** dix-sept	**40** quarante	**100** cent
8 huit	**18** dix-huit	**50** cinquante	**101** cent un
9 neuf	**19** dix-neuf	**60** soixante	**200** deux cents
10 dix	**20** vingt	**70** soixante-dix	**1000** mille
		71 soixante et onze	
		72 soixante-douze	

3 Les lettres

A B C D E F G H I J K L M N O P Q R S T U V W X Y Z

À vous ! Épelez votre nom.

> Comment vous vous appelez ?

> Maxime Joubert

> Vous pouvez épeler, s'il vous plaît ?

> Oui. J.O.U.B.E.R.T.

LES PHRASES UTILES

- Je ne comprends pas.
- Vous pouvez répéter, s'il vous plaît ?
- Vous pouvez épeler ?

Rencontres

vous présenter et présenter
une personne.

faire connaissance
avec quelqu'un.

demander des nouvelles.

chercher
un(e) correspondant(e).

Vous allez apprendre à...

saluer.

demander et dire le nom et le prénom,
l'âge, les coordonnées, la profession.

exprimer des goûts.

compter.

Pour...

DVD

Fiction > Deux personnes entrent en même
temps dans un taxi...

Bienvenue !

a

b

1 – Bonjour, monsieur. Vous vous appelez… ?
– Doucet. Yves Doucet. Et voici ma femme,
Alice.
– Bonjour, madame.

2 – Bonjour. Je suis Alice Doucet. Vous êtes
madame Falco ?
– Bonjour. Oui, je m'appelle Nicole Falco.
Aldo, mon mari.
– Arnaud ?
– Non. Aldo. Il s'appelle Aldo.

3 – Qui est-ce ?
– C'est Aldo. Aldo Falco.
– Aldo ? Il est italien ?
– Oui, et elle, c'est Nicole, elle est française.

4 – Tu t'appelles Giacomo ! Tu es italien ?
– Oui, oui. Je suis italien.

DÉCOUVREZ

1 **Club Océan** 🎧 ▶2-9

Écoutez et associez les dialogues et les dessins.

CLUB
OCÉAN
La Baule
Nom : DOUCET
Prénom : ALICE

GRAMMAIRE

● **Le verbe *être* au présent**

	singulier
1re personne	je **suis**
2e personne	tu **es***
3e personne	il/elle **est**

* vous êtes = vous de politesse.

! Le pronom sujet est obligatoire.

● **Le verbe *s'appeler* au présent**

	singulier
1re personne	je m'appell**e**
2e personne	tu t'appell**es***
3e personne	il/elle s'appell**e**

* vous vous appelez = vous de politesse.

● **Masculin et féminin**

Il s'appelle Yves.	*Elle s'appelle Alice.*
Il est français.	*Elle est français**e**.*

● **L'interrogation avec *qui* (pour une personne)**

– *Qui est-ce ?*
– *C'est Nicole.*

3 Jeu

Trouvez le mot et complétez.

		F					
2		R					
	3	A					
	4	N					
5		Ç					
	6	A					
7		I					
8		S					

1 Voici ma … , Carla.
2 C'est Yves, mon … .
3 Elle s'… Marlène.
4 Mon … ? Falco.
5 Alice Doucet est … .
6 Vous vous … Aldo ou Arnaud ?
7 … est-ce ?
8 … êtes italien ?

4 Homme ou femme ?

Écoutez et dites si la phrase est au masculin ou au féminin.

SAVOIR DIRE

● **Saluer**
– Bonjour.
– Bonjour, monsieur.
– Bonjour, madame Doucet.

● **Se présenter**
– Je suis Alice Doucet.
– Je m'appelle Nicole Falco. Voici Aldo, mon mari.
– Je suis français(e).

● **Demander et dire le prénom et le nom**
– Qui est-ce ?
– C'est Aldo Falco.
– Il/Elle s'appelle Doucet.

COMMUNIQUEZ

5 À vous !

1 Saluez votre voisin(e) et présentez-vous.
– Bonjour. Je m'appelle … *(prénom)*. Je suis … *(nationalité)*. Et vous ?
– Je…

2 Montrez un(e) étudiant(e) et demandez à votre voisin(e).
– Qui est-ce ?
– C'est … . Il/Elle s'appelle … *(prénom)*. Il/Elle est … *(nationalité)*.

ENTRAÎNEZ-VOUS

2 Qui est-ce ?

Complétez les phrases avec le verbe *être* au présent et *je, il, elle* ou *vous*.

1 – Tu … Alex ?
– Non, … suis Théo. Voilà Alex.
2 – … êtes française ?
– Moi ? Oui, je … française.
3 – Madame Khalifa, elle … française ?
– Oui, … est française.
4 – Qui est-ce ?
– C'… Laurent.
5 – Aldo, c'… mon mari. … est italien.

PRONONCEZ

C'est une question ?

Écoutez et dites si c'est une affirmation ou une question.

LEÇON 2

Qui est-ce ?

– Qui est-ce ?

– C'est Naoko, non ?

– Naoko ?

– Oui, Naoko Yamada. Elle est étudiante.

– Elle est sympa ?

– Oui. Elle est dans le cours de français, elle est japonaise.

– Elle habite en France ou au Japon ?

– Elle habite en Suisse, à Genève.

DÉCOUVREZ

1 À l'institut

1 Écoutez le dialogue 1 et dites si c'est vrai ou faux. ▶ 10-11

a Naoko est une femme.

b Elle est française.

c Elle est professeur.

d Elle habite en France.

e Elle est sympa.

2 Regardez le badge et rejouez le dialogue 1.

Nom : Valli
Prénom : Giulia
Nationalité : italienne

3 Écoutez le dialogue 2 et associez les personnes aux professions. ▶ 12-13

a M. Devaux   1 professeur

b Émilie Constant   2 secrétaire

c Pierre   3 assistante

d Mme Moreno   4 étudiante

e Anna   5 directeur

GRAMMAIRE

● **L'article défini au singulier**

masculin	féminin
le *le* cours d'allemand	la *la* dentiste de Marina

❗ Devant une voyelle, *le* et *la* ➜ *l'* : *l'étudiant(e)*

● **Le genre des noms et des adjectifs**

	masculin	féminin
cas général	*un assistant polonais*	*une assistante polonaise*
cas particuliers	*un directeur italien*	*une directrice italienne*

❗ Toujours au masculin : *le professeur.*

❗ Masculin ou féminin : *le/la secrétaire – le/la dentiste – le/la photographe – Il est belge/Elle est belge.*

● **Prépositions + noms de pays et de ville**

En + pays féminin
la France : *J'habite en France.*
l'Italie : *J'habite en Italie.*

Au + pays masculin
le Japon : *J'habite au Japon.*

À + ville
Il habite à Paris, à Rome, à Tokyo.

4 Pays et nationalités

1 Complétez les phrases avec *en* ou *au*.

a Jun habite à Tokyo … Japon. (le Japon)

b François habite à Bruxelles … Belgique. (la Belgique)

c Carlos habite à Madrid … Espagne. (l'Espagne)

d Claudia habite à Vienne … Autriche. (l'Autriche)

2 Mettez les phrases au masculin.

a Satoko est japonaise. Jun est…

b Françoise est belge. François…

c Clara est espagnole. Carlos…

d Claudia est autrichienne. Karl…

SAVOIR DIRE

● **Identifier une personne**

– Qui est-ce ?

– C'est Mario/Claudia.

– Il/Elle s'appelle…

– Il/Elle est français(e).

– Il/Elle est photographe.

– Il/Elle est étudiant(e).

– Il/Elle habite à Paris, en France.

ENTRAÎNEZ-VOUS

2 Homme ou femme ?

Écoutez et dites si la phrase est au masculin ou au féminin.

3 Cartes de visite

Écoutez et associez une carte de visite à un dialogue.

a

Francis Monge
dentiste

sur rendez-vous
téléphone : 01 47 52 40 36

b

Amélie **Moulin**

photographe

ameliem@orange.fr

c

STF

Lise Poirot

directrice
commerciale

7, rue de la Liberté
1000 Bruxelles

COMMUNIQUEZ

 5 Au téléphone

Écoutez et relevez les numéros du bureau et du poste téléphonique.

6 À vous !

Demandez à votre voisin(e)…

Exemple : *Vous êtes professeur ?*

→ *Non, je suis étudiant(e).*

1 Vous êtes photographe ?

2 Vous êtes français(e) ?

3 Vous habitez en France ?

4 Vous êtes dans le cours d'italien ?

PRONONCEZ

Les syllabes

Écoutez et lisez. Détachez les syllabes puis prononcez normalement.

1 Voi/là/le/bu/reau. / Voilà le bureau.

2 Vou/sêtes/é/tu/dian/te. / Vous êtes étudiante.

3 Vou/sêtes/Co/ra/lie ? / Vous êtes Coralie ?

4 Je/suis/Mar/ti/na/mar. / Je suis Martine Amar.

Ça va bien ?

– Salut, Céline, tu vas bien ?

– Oui, ça va bien. Et toi ?

– Je vais bien, merci… J'habite à Montréal, maintenant, avec ma femme.

– Au Canada ?

– Oui, oui, au Canada.

– Ah ! C'est bien. Et quelle est ton adresse ?

– Mon adresse ? Alors, c'est : David Delage… 35, rue Notre-Dame, à Montréal.

– Et tu as une adresse e-mail ?

– Oui, c'est : ddelage@hotmail.com.

– Comment va ton ami espagnol ?

– Luis ? Il va bien. Il est à Paris avec son fils. Il parle français maintenant.

– Tu as son adresse ?

DÉCOUVREZ

1 Qui a la parole ? ▶ 14-17

1 Écoutez les deux dialogues et répondez.

Qui dit…	C'est…	À qui ?
Bonjour.	Mme Lebon	à M. Legrand
Salut.	David	à Céline
Comment allez-vous ?	…	…
Tu vas bien ?	…	…
Et vous ?	…	…
Et toi ?	…	…
Et votre bébé ?	…	…
Comment va ton ami ?	…	…

2 À qui dites-vous…

a bonjour/vous/votre…

b bonjour/salut/tu/ton…

1 à un(e) ami(e)
2 à un professeur
3 à votre directeur/directrice
4 à votre mari/femme
5 à un bébé

3 Lisez et transformez le dialogue entre David et Céline. Utilisez le *vous* de politesse. Jouez avec votre voisin(e). Changez les noms.

➜ – Bonjour, madame Barraud, vous allez bien ?

GRAMMAIRE

● **Les verbes *aller* et *avoir* au présent**

	singulier		pluriel et politesse	
1ʳᵉ pers.	je **vais**	j'**ai**		
2ᵉ pers.	tu **vas**	tu **as**	vous **allez**	vous **avez**
3ᵉ pers.	il/elle **va**	il/elle **a**		

● **L'adjectif possessif au singulier**

masculin	féminin
mon, ton, son *mon* professeur, *ton* voisin, *son* fils	**ma, ta, sa** *ma* fille, *ta* voisine, *sa* femme
votre *votre* ami	**votre** *votre* amie

! On emploie *mon, ton, son* devant un nom commençant par une voyelle : *mon* ami(e), *son* adresse.

● **L'article indéfini au singulier**

masculin	féminin
un *un* garçon	**une** *une* fille

● **L'adjectif interrogatif *quel* (1)**

– ***Quel*** est votre nom ? – Bricourt.
– ***Quelle*** est ton adresse ? – 1, rue du Four.

SAVOIR DIRE

● **Demander des nouvelles**
  – Comment allez-vous ?
  – Ça va, merci. Et vous ?
  – Tu vas bien ?
  – Ça va. Et toi ?

● **Demander l'âge, l'adresse, le numéro de téléphone**
  – Il a quel âge maintenant ?
  – Quelle est ton adresse ?
  – Quel est son numéro de téléphone/adresse e-mail ?

4 Bingo !

1 Écoutez et répétez les nombres de 21 à 62.
2 Écoutez et dites si le nombre est sur la grille ou non.

9	18	26	32	48	53	68
	14	21	35	41		60
2	10	29		43	57	

ENTRAÎNEZ-VOUS

2 Présentations

Complétez les questions avec *quel* ou *quelle* puis associez les phrases.

1 … est votre nom ?
2 … est votre âge ?
3 … est votre adresse ?
4 … est votre numéro de téléphone ?

a J'habite 20, rue de Bourgogne, à Paris.
b C'est le 01 26 32 41 60.
c Je m'appelle Thurame.
d J'ai 25 ans.

3 Paroles

Complétez avec *un* ou *une*.

1 – C'est … photographe. Il est sympa.
  – Ah oui ?

2 – Vous avez … adresse à Paris ?
  – Non.

3 – Qui est-ce ?
  – C'est … étudiante.

4 – Jean a … ami.
  – Oui, et il parle espagnol.

5 – Annie a … amie.
  – C'est … Italienne.

COMMUNIQUEZ

5 Ma clé, s'il vous plaît.

Écoutez le dialogue. Notez le numéro de la chambre et le numéro de téléphone de l'hôtel.

6 À vous !

Demandez à votre voisin(e) son âge, sa profession, son adresse et son numéro de téléphone. Demandez comment il/elle va. Choisissez *tu* ou *vous*.

PRONONCEZ

L'accent tonique

Il est sur la dernière syllabe des groupes de mots.
Écoutez les phrases et répétez.
Exemple : Paul Du**faut** // a une adresse e-**mail**.

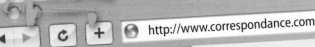

http://www.correspondance.com

Correspondants

correspond@nce.com

> Salut ! Je m'appelle Diouf. J'ai 29 ans. J'habite à Dakar au Sénégal. Je vais souvent au cinéma. Je cherche un correspondant en France ou au Canada.
>
> **Mon e-mail :** diouf29@webzine.com

> Je m'appelle Antoine. J'ai 25 ans et j'habite à Bruxelles, en Belgique. Je suis étudiant. J'aime la lecture, la nature et la musique classique.
>
> **Mon e-mail :** antoine.leconte@webzine.com

DÉCOUVREZ

1 Qui parle français dans le monde ?

1 Lisez les 5 messages. Dites pourquoi Diouf, Antoine, Marion, Pauline et Sandro parlent français.
Exemple : *Diouf habite au Sénégal, à Dakar.*
> → *À Dakar, un Sénégalais ou une Sénégalaise parle français.*

Continuez l'exercice comme dans l'exemple, avec Antoine, Marion, Pauline et Sandro.

2 Regardez la carte p. 143 et répondez.
Qui parle aussi français dans le monde ?

2 Je cherche un(e) correspondant(e).

Relisez les messages. Trouvez un(e) correspondant(e) pour…

a Aïcha, 22 ans : elle habite au Maroc, à Rabat. Elle est étudiante en littérature.

b Sabine, 30 ans : elle habite en Suisse et elle est professeur de danse. Elle cherche une correspondante de 25 à 35 ans.

c Luc, 27 ans : il habite à Paris. Il aime le sport, le rap et le cinéma.

d Émilie, 20 ans : elle habite en Belgique. Elle est serveuse dans un bar. Elle aime le sport et la photographie.

Moi, c'est Marion. Je suis québécoise.
J'ai 18 ans et j'habite à Montréal.
J'aime le sport : le volley-ball, le golf…
Je cherche une amie en Europe.

Mon e-mail : marion@webzine.net

Bonjour, je m'appelle
Pauline et j'ai 31 ans.
Je suis guyanaise :
j'habite à Cayenne.
Je suis secrétaire.
Je cherche une
correspondante de
30 à 40 ans. Je parle
français, anglais et
espagnol. J'aime
beaucoup la danse.

Mon e-mail : pauline31@webzine.fr

Je m'appelle Sandro et j'habite en Suisse, à Lausanne.
J'ai 22 ans. Je suis boulanger. J'aime la photo.

Mon e-mail : sandro.carre@webzine.ch

COMMUNIQUEZ

3 Et vous ?

Antoine aime la lecture, la nature
et la musique classique. Marion, le
sport. Diouf, le cinéma… Et vous ?

4 Votre e-mail en français

Lisez l'e-mail de Marco. Comme
Marco, écrivez un e-mail à un(e)
correspondant(e).

De : marco.carvalho@webzine.net
À : sandro.carre@webzine.ch

Bonjour Sandro,
Je m'appelle Marco et j'ai dix-neuf ans. J'habite au
Brésil. Mon père est dentiste et ma mère est professeur.
J'ai un frère et une sœur. Mon frère s'appelle Ricardo,
il a vingt-six ans et il est professeur de sport. Ma sœur,
Julia, a vingt-trois ans. Elle est étudiante en France. Moi
aussi, je suis étudiant, à São Paulo. J'aime beaucoup la
lecture, le football et le rap (Eminem, Public Enemy…).
Je parle portugais, espagnol, anglais et français (un peu).
À bientôt !
Marco

DVD

Reportage > Paris

Savoir-faire

 1 Bingo-Bingo

a Écoutez le document et complétez la fiche pour chaque personne.

BINGO-BINGO

Prénom	
Âge	
Nationalité	
Profession	
Adresse	
J'aime	
Je parle	

b Vous voulez participer à Bingo-Bingo. Complétez la fiche.

c Deux étudiants de votre classe participent à Bingo-Bingo. Lisez leurs fiches et présentez-les.

 2 Rendez-vous

Un ami vous demande l'adresse et le numéro de téléphone d'un dentiste. Lisez le document. Choisissez un dentiste et donnez-lui les informations.

Jouez la scène :
a avec votre voisin(e) ;
b avec une autre personne de la classe.

DENTISTES

Barbou Pascal
33, rue Madame 33000 BORDEAUX tél : 05 56 41 00 44

Nivet Anne
18, rue du Canada 33000 BORDEAUX tél : 05 56 34 35 46

Piron Bernard
2, rue de Paris 33000 BORDEAUX tél : 05 56 42 74 75

 3 Présentez une amie.

Lisez la fiche d'Andrea Santi. Dans un e-mail, présentez Andrea à un(e) ami(e).

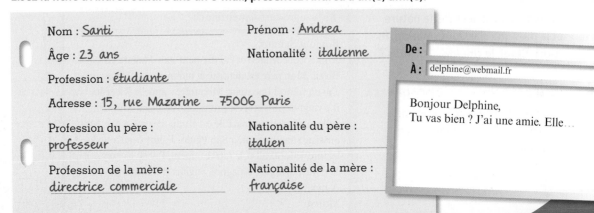

Nom : *Santi* Prénom : *Andrea*

Âge : *23 ans* Nationalité : *italienne*

Profession : *étudiante*

Adresse : *15, rue Mazarine – 75006 Paris*

Profession du père : Nationalité du père :
professeur *italien*

Profession de la mère : Nationalité de la mère :
directrice commerciale *française*

De :
À : delphine@webmail.fr

Bonjour Delphine,
Tu vas bien ? J'ai une amie. Elle...

Portraits

Vous allez apprendre à...

- montrer et situer des objets et des personnes.
- exprimer la possession.
- exprimer des goûts.
- indiquer des couleurs.
- demander et dire le prix.

Pour ...

- décrire et localiser des objets.
- identifier quelqu'un.
- faire des achats.

DVD

Fiction > Une jeune femme veut acheter des fleurs...

Trouvez l'objet

un mur

une photo

une étagère

un lit

un livre

une fl...

un ve...

un fauteuil

un chat

une table

un vase

un ordinateur

– Son chapeau et son blouson, c'est ça ?

– Oui, son chapeau et son blouson.
Ils sont dans la chambre de Mélanie,
sous l'étagère à côté de la fenêtre.

– L'étagère avec des livres, à gauche
de la fenêtre ?

– Non ! L'étagère contre le mur, à droite
de la fenêtre… sous les affiches ! Oh ! là, là !

– À droite de… Ah oui ! Sur la chaise,
il y a un blouson et un chapeau.

– Voilà ! C'est ça !

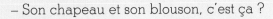

DÉCOUVREZ

1 À gauche ? À droite ?

1 Regardez le dessin ci-dessus et écoutez
le dialogue. ▶ 18-19

2 Associez les mots et les dessins ci-dessous.

a contre	**d** dans	**g** à côté (de)
b sous	**e** à droite (de)	
c sur	**f** à gauche (de)	

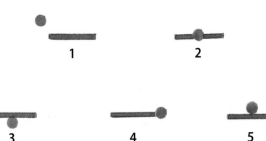

1   2

3   4   5

6   7

GRAMMAIRE

● **Le pluriel des articles et des noms**

Article indéfini : *un, une* → *des*
un chat → *des* chats
une étagère → *des* étagères

Article défini : *le, la, l'* → *les*
le livre → *les* livres
la chaise → *les* chaises

● *Il y a*

Il y a est invariable.
Il y a un chat.
Il y a des chats.

● **Le verbe *être* au présent**

	pluriel
1re pers.	nous **sommes**
2e pers.	vous **êtes**
3e pers.	ils/elles **sont**

● **L'interrogation avec *qu'est-ce que***

Qu'est-ce que c'est ?
*Qu'est-ce qu'*il y a dans la pièce ?

une affiche

une fenêtre

un sac

une assiette

une chaise

un blouson

un chapeau

un téléphone

3 Questions

Complétez avec *un, une, des, le, la, l', les*.

1 – Qu'est-ce qu'il y a contre … mur ?
– Il y a … chapeau. C'est … chapeau de Martine.

2 – Qu'est-ce qu'il y a sur … étagère ?
– Ce sont … livres. Ce sont … livres de Pierre.

3 – Qu'est-ce qu'il y a sur … fauteuil ?
– … chat. C'est … chat de Michel.

4 – Qu'est-ce que c'est ? … photos ?
– Non, ce sont … affiches.

5 – Qu'est-ce qu'il y a dans … pièce ?
– Il y a … assiette, … chaises, … téléphone de Marie.

SAVOIR DIRE

● **Nommer des objets**
– Qu'est-ce que c'est ?
– C'est une photo.
– Ce sont des photos.

● **Montrer et situer des objets**
– Les livres sont sur l'étagère.
– Ils sont dans la chambre, sous l'étagère à côté de la fenêtre.

ENTRAÎNEZ-VOUS

2 Qu'est-ce que c'est ?

1 À l'aide du dessin ci-dessus, trouvez l'objet.
Répondez avec *un, une, des*.

Exemple : C'est sous la table, sur la chaise.
➔ C'est un téléphone.

a C'est à gauche de la fenêtre, au-dessus des fleurs.
Ce sont…

b C'est sur la table. Ce sont…

c C'est à droite du lit, contre le mur. C'est…

d C'est entre le fauteuil et la table. C'est…

2 Continuez le jeu avec votre voisin(e).

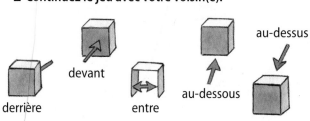

derrière

devant

entre

au-dessous

au-dessus

COMMUNIQUEZ

4 Au restaurant

Écoutez et dites où sont les personnes dans le restaurant.

5 À vous !

Dessinez une pièce avec des meubles et des objets. Décrivez la pièce à votre voisin(e). Il/Elle dessine la pièce. Puis comparez les deux dessins.

PRONONCEZ

Singulier ou pluriel ?

1 Écoutez et dites si vous entendez un singulier ou un pluriel.

2 Transformez les phrases au pluriel. Qu'est-ce qui change dans la prononciation ? Qu'est-ce qui indique le pluriel ?

a Il y a une affiche au-dessus du fauteuil.

b Le fauteuil est contre le mur.

c Le livre est sur l'étagère.

d La photo est sur le mur.

Portrait-robot

– Alors… Ils sont grands ? petits ?

– Il y a un homme, grand et… blond. Oui, c'est ça, il est blond. L'autre homme, il est petit et brun.

– D'accord. Est-ce qu'ils ont des lunettes ?

– Non, non, ils n'ont pas de lunettes.

– Et leurs vêtements ?

– L'homme blond porte un tee-shirt blanc et un pantalon noir… Non, bleu, un pantalon bleu. C'est un jean. L'homme brun, lui, il a un blouson.

– De quelle couleur ?

– La couleur de son blouson… noir… non, ce n'est pas noir… rouge… oui, rouge.

– Autre chose ?

– Oui, sa chemise est verte.

– Et ses chaussures ?

– Ah ! ce sont des baskets.

DÉCOUVREZ

1 Ils sont grands ? petits ? ▶ 20-21

1 Écoutez le dialogue et observez le dessin. Identifiez les deux hommes.

2 Écoutez les descriptions. Associez les descriptions aux portraits.

ENTRAÎNEZ-VOUS

2 Descriptions

Choisissez la bonne réponse.

1 La femme a une robe…
  a vert.   **b** verte.

2 L'homme et la femme ont des chaussures…
  a noirs.   **b** noires.

3 La femme n'a pas de lunettes…
  a blancs.   **b** blanches.

4 L'homme et la femme sont…
  a petits.   **b** petites.

5 L'homme porte une chemise…
  a bleue.   **b** bleu.

GRAMMAIRE

● **Les pronoms toniques**

1ʳᵉ pers.	moi	La chemise verte n'est pas à **moi**.
2ᵉ pers.	toi	Elle est à **toi**.
3ᵉ pers.	lui/elle	L'homme brun, **lui**, a un blouson.
2ᵉ pers. pluriel + politesse	vous	C'est à **vous** ?

● **Le verbe *avoir* au présent**

		àpluriel
1ʳᵉ pers.	nous **avons**	
2ᵉ pers.	vous **avez**	
3ᵉ pers.	ils/elles **ont**	

● **La négation *ne… pas***

Ne et *pas* entourent le verbe.
*Ce **ne** sont **pas** leurs chaussures.*

! À la forme négative, *un, une, des* → *de*.
*Il n'a **pas de** lunettes.*

● **L'accord des adjectifs avec le nom**

*Elle a une robe vert**e** et des chaussures rouge**s**.*
*Il porte un blouson noir et des chaussures noir**es**.*

SAVOIR DIRE

● **Exprimer la possession**
  – À qui est le tee-shirt rouge ? À Patrick ?
  – Oui, il est à lui.
  – La couleur de son blouson ? Rouge.
  – Ses chaussures sont noires.
  – Elle a une robe verte.

● **Indiquer les couleurs**
  – Le pantalon est de quelle couleur ?
  – Il est noir.

5 À qui sont les vêtements ?

Répondez aux questions.
Exemple : *Ils ont un blouson ?*
  → *Non, ils n'ont pas de blouson.*

1 Tu as son tee-shirt vert ?
2 Vous avez des chaussures noires ?
3 Elle porte une robe ?
4 Ils ont une chemise bleue ?
5 Vous avez ses baskets ?

GRAMMAIRE

● **Les adjectifs possessifs au pluriel**

Le masculin et le féminin sont identiques.

mes, tes, ses
mes lunettes, *tes* blousons, *ses* chaussures

nos, vos, leurs
nos vêtements, *vos* pantalons, *leurs* chemises

3 Qu'est-ce que vous portez ?

Posez une question à votre voisin(e). Il/Elle répond et pose une autre question.
Exemple : *Moi, j'ai une chemise verte. Et toi ?*
  → *Moi, je n'ai pas de chemise verte, mais j'ai un tee-shirt rouge.*

4 À qui est-ce ?

Associez les phrases.
1 À qui est la robe bleue ? À vous ?
2 Il a des chaussures noires ?
3 Il porte des lunettes ? Oui ou non ?
4 À qui est le pull jaune ? À Lucie ?
5 Ce sont mes baskets !

a Non, il ne porte pas de lunettes.
b Non, elles sont blanches.
c Mais non, ce ne sont pas tes baskets !
d Non, elle n'est pas à moi.
e Oui, c'est à elle.

COMMUNIQUEZ

6 Devinettes

Décrivez une personne de la classe à votre voisin(e). Votre voisin(e) devine qui c'est.

PRONONCEZ

La liaison en [z]

Écoutez puis prononcez. Faites bien les liaisons en [z].
1 Ils_ont des_affiches.
2 Vous_avez des_étagères.
3 Nous_avons des_amis.
4 Ce sont vos_amies.
5 Ils_ont des sacs.

Shopping

– Bonjour, mesdames, qu'est-ce que vous cherchez ?

– Des vêtements pour ma fille et mon fils.

– Quel âge ont-ils ?

– Ma fille a 16 ans et mon fils 14.

– Pour les filles, c'est sur les étagères à gauche et pour les garçons, à droite.

(…)

– Comment est-ce que tu trouves ce pantalon ?

– J'aime bien ce type de pantalon, c'est très joli !

– Vous avez quelles couleurs, s'il vous plaît ?

– Ce pantalon ? Il y a bleu, gris ou noir.

– Il coûte combien ?

– 59 euros.

– Ce n'est pas très cher !

– Hum, hum. Pas très cher…

– Vous avez le gris en taille 38 ?

– Oui, oui.

– Cette robe verte, tu aimes ?

– Oh, non ! Pas du tout.

– Ah bon ! Et ce pull ? Il est joli, non ?

– Oui, le bleu et blanc, j'aime bien.

– Combien ça coûte ?

– 35 euros.

– Bon, alors … Ce pull et ce pantalon, ça fait combien, s'il vous plaît ?

– 35 et 59… ça fait 94 euros, madame.

– Voilà.

DÉCOUVREZ

1 Qu'est-ce qu'elles cherchent ? ► 22-23

Écoutez le dialogue et choisissez la ou les bonne(s) réponse(s).

1 Dans la boutique, la femme cherche des vêtements…
   a pour elle. **c** pour son fils.
   b pour sa fille. **d** pour son mari.

2 La taille du pantalon est…
   a 38. **b** 36. **c** 34.

3 Il y a des pantalons…
   a gris. **b** noirs. **c** bleus. **d** blancs.

4 Un pantalon coûte…
   a 35 euros. **b** 59 euros. **c** 94 euros.

5 L'amie de la femme aime bien…
   a le pantalon. **b** la robe verte. **c** le pull bleu et blanc.

6 Elle trouve que le pantalon…
   a est cher. **b** est joli. **c** n'est pas très cher.

7 Le prix des deux vêtements est de…
   a 94 euros. **b** 59 euros. **c** 84 euros.

GRAMMAIRE

● **L'adjectif interrogatif** *quel* (2)

> **Quels** vêtements est-ce que tu portes ?
> Vous avez **quelles** couleurs ?

● **L'interrogation**

> **Comment ?**
> **Comment** est-ce que tu trouves ce pantalon ?
> Elle est **comment**, cette robe ?

> **Combien ?**
> Il coûte **combien** ?
> **Combien** ça coûte ?

● **L'adjectif démonstratif**

	singulier	pluriel
masculin	ce *ce garçon*	ces *ces garçons*
féminin	cette *cette robe*	ces *ces robes*

❗ Devant une voyelle ou la lettre *h*, *ce* devient *cet* : *cet objet, cet hôtel.*

4 De 70 à 1 000

Écoutez et répétez les nombres.

COMMUNIQUEZ

5 Quel est le prix ?

Écoutez et indiquez le prix des objets du site Boutique.net.

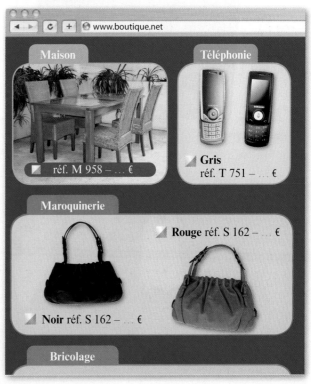

6 Jeu de rôles

Vous entrez dans une boutique de vêtements.
Vous demandez un pantalon, puis un pull.
Jouez la scène avec votre voisin(e).

SAVOIR DIRE

● **Caractériser un objet**
  – C'est un pull bleu. Il est très joli.
  – Ce sac est très grand.
  – Ce n'est pas cher.

● **Demander et indiquer le prix**
  – Il coûte combien ? – Ça fait 59 euros.
  – Quel est le prix de ce pull ? – Il coûte 30 euros.

● **Exprimer des goûts**
  – J'aime beaucoup.
  – Tu aimes cette robe ?
  – Pas du tout.

ENTRAÎNEZ-VOUS

2 Chacun ses goûts

Complétez avec *ce, cette* ou *ces*.

1 J'aime bien la couleur de ... chaussures.
2 Et ... pantalon bleu ? Il est cher, non ?
3 ... sacs sont très grands.
4 ... robe est très jolie, j'aime beaucoup !
5 Comment est-ce que vous trouvez ... lunettes ?

3 Ils sont comment ?

Trouvez la question.
Exemple : 42. → *Quelle est la taille de ce pantalon, s'il vous plaît ?*

1 Elle est rouge.   3 J'aime beaucoup.   5 Il est grand.
2 125 euros.   4 Gris, noir et blanc.

PRONONCEZ

Les liens entre les mots

Écoutez l'enregistrement et marquez les liens entre les mots. Puis répétez les phrases.
Exemple : C'est_un_objet ?

1 Tu as un ami français ?   4 Cette étagère est grande.
2 Cet objet est très beau !   5 Elle a un petit ami.
3 Son amie a une affiche.

Le coin des artistes

La Môme, un film d'Olivier Dahan.
Avec Marion Cotillard, Gérard Depardieu…

a

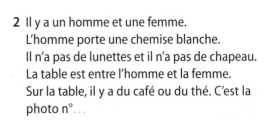

b

DÉCOUVREZ

1 La vie en rose

Choisissez une photo du film *La Môme* et décrivez-la.

2 Quelle photo ?

Associez chaque texte à une des photos **a** à **e**.

1 La femme est au centre de la photo et l'homme est à côté d'elle, à gauche : il porte des vêtements noirs. Elle, elle porte un chapeau. Sur la table, il y a des verres et des fleurs. Une autre femme est à côté de la femme au chapeau. C'est la photo n°…

2 Il y a un homme et une femme.
L'homme porte une chemise blanche.
Il n'a pas de lunettes et il n'a pas de chapeau.
La table est entre l'homme et la femme.
Sur la table, il y a du café ou du thé. C'est la photo n°…

3 Mais qui sont-ils ?

Lisez le texte **f** plusieurs fois et complétez le tableau.

Nom	…	…	…	…
Profession	…	…	…	*sculpteur*	…

c

e

d

f

Le poète est entre Henri Matisse et Camille Claudel.
Claude Debussy est à droite dans le tableau.
Le sculpteur est une femme.
Colette est à gauche du peintre.
Le poète est à gauche du sculpteur et à droite du peintre.
À côté de Claude Debussy, il y a le sculpteur.
Le peintre est à côté de l'écrivain.
L'écrivain est à gauche dans le tableau.
Guillaume Apollinaire n'est pas le musicien.

Camille Claudel
(1864-1943)

Édith Piaf
(1915-1963)

COMMUNIQUEZ

4 Et encore ?

Connaissez-vous d'autres artistes français ?
Quels artistes ?

5 Poème

Lisez ce poème. À la manière de Jacques Prévert, imaginez un poème à partir d'une des photos du film *La Môme*.

Une orange sur la table
Ta robe sur le tapis
Et toi dans mon lit [...]

Jacques Prévert, « Alicante », *Paroles*, © Gallimard.

DVD

Reportage > Les fleurs

Savoir-faire

1 À l'aéroport

Le frère/La sœur d'un(e) ami(e)
vient vous chercher ce soir à l'aéroport,
à Nice. Il/Elle ne vous connaît pas.
Vous lui téléphonez pour vous décrire.
Jouez la scène avec votre voisin(e).

Vincent Van Gogh, *La chambre de Van Gogh à Arles,*
1889.

2 Ma chambre

Chez le frère/la sœur de votre ami(e),
vous avez une très jolie chambre.
Écrivez un e-mail à une personne
de votre famille pour décrire
votre chambre.

3 Photo de classe

Regardez la photo. Lisez le message
et dites où se trouve la personne.

> 05/06/1982
> Je suis entre le garçon brun avec
> le pull rouge et le garçon avec le
> tee-shirt vert. Devant moi, il y a
> un garçon avec un pull bleu et blanc.

4 Commandez en ligne.

Vous achetez des vêtements sur Internet avec un(e)
ami(e). Regardez la page Internet et passez votre
commande. Jouez la scène avec votre voisin(e).

BON DE COMMANDE

NOM	COULEUR	TAILLE	QUANTITÉ	PRIX
robe	rouge	40	1	45 euros

VÊTEMENTS > FEMMES — mon panier

ROBE
couleurs : bleu, rouge
tailles : 36 à 46 – **prix** : 45 euros

JUPE
couleurs : vert, noir
tailles : 36 à 48 – **prix** : 37 euros

PULL
couleurs : blanc, noir, rouge
tailles : 36 à 40 – **prix** : 29 euros

VÊTEMENTS > HOMMES — mon panier

VESTE
couleurs : jaune, bleu, noir
tailles : 44 à 52 – **prix** : 78 euros

PANTALON
couleurs : noir, vert, blanc
tailles : 38 à 52 – **prix** : 57 euros

CHEMISE
couleurs : blanc, bleu, noir
tailles : 38 à 44 – **prix** : 28 euros

Ça se trouve où ?

Vous allez apprendre à...

situer un lieu sur un plan ou sur une carte.

indiquer une direction.

indiquer un moyen de transport.

donner un conseil.

décrire un appartement ou une maison.

comprendre une annonce immobilière.

demander et indiquer un chemin.

lire et présenter des informations touristiques.

Pour ...

DVD

Fiction > Un homme veut aller à l'aéroport...

Appartement à louer

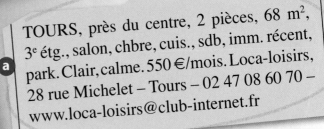

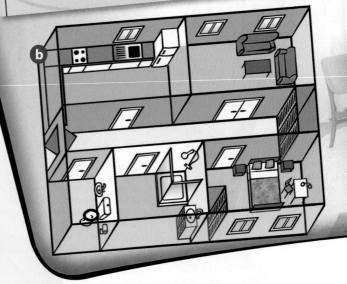

TOURS, près du centre, 2 pièces, 68 m², 3e étg., salon, chbre, cuis., sdb, imm. récent, park. Clair, calme. 550 €/mois. Loca-loisirs, 28 rue Michelet – Tours – 02 47 08 60 70 – www.loca-loisirs@club-internet.fr

Envoyer Discussion Joindre Adresses Polices Couleurs Enr. brouillon

De : loca-loisirs@club-internet.fr

À : rsoisson@wanadoo.fr

Cc :

Cci :

Monsieur,
L'immeuble est au coin de la rue Victor-Hugo et de la rue Michelet. C'est un immeuble récent avec un parking. L'appartement est au troisième étage avec ascenseur.
La cuisine est à gauche de l'entrée.
En face de la cuisine, vous avez les toilettes et une salle de bains avec une douche. La chambre est au bout du couloir, à droite : il y a un lit et un bureau avec une chaise.
À gauche du couloir, il y a le salon. C'est calme.
Vous avez deux placards dans l'appartement.
Meilleures salutations.

Alain Dauger
Responsable de l'agence Loca-loisirs

DÉCOUVREZ

1 Petite annonce

1 Lisez le document **a**.

a C'est :
  1 un e-mail.
  2 une petite annonce.
  3 une carte postale.

b Indiquez :
  1 l'adresse de l'agence.
  2 son numéro de téléphone.
  3 le prix.

2 Lisez l'e-mail de Loca-loisirs. Que signifient les mots suivants dans le document **a** ?

a étg.   **c** cuis.   **e** imm.
b chbre   **d** sdb   **f** park.

3 Associez les dessins et les expressions.

a en face de   **c** au bout de
b au coin de   **d** près de

1   2

3   4

2 Où sont les pièces ? ▶ 24-25

Relisez l'e-mail et écoutez le dialogue. Retrouvez le nom de chaque pièce sur le plan **b**.

ENTRAÎNEZ-VOUS

3 Du premier au dernier étage

Continuez.

– Quel étage, s'il vous plaît ?
– Au rez-de-chaussée.
– Au premier.
– Au deuxième.
– Au troisième.
– Au quatrième.
– Au …, au …, au … et au dernier étage !

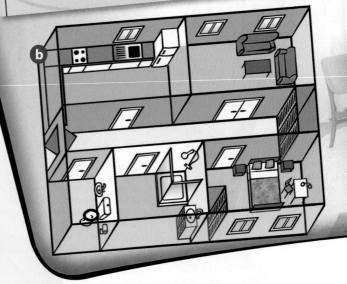

SAVOIR DIRE

● **Situer un lieu sur un plan**
 – La salle de bains est en face de la cuisine.
 – La chambre est au bout du couloir, à droite.
 – L'immeuble est au coin de la rue.

● **S'informer sur un lieu**
 – Où est l'appartement ?
 – Il y a une fenêtre dans la salle de bains ?

5 Comparaisons

Répondez comme dans l'exemple.
Attention à l'accord de l'adjectif.
Exemple : *Chez nous, le salon est clair. (M. et Mme Vidal)*
→ *Chez eux, le salon est sombre.*

1 Près de chez lui, il y a une rue calme. (vous)
2 Chez moi, l'ascenseur est ancien. (elles)
3 Chez vous, la cuisine est très grande. (moi)
4 Au-dessus de chez moi, le voisin est bruyant. (nous)
5 Chez eux, la chambre et le salon sont sombres. (moi)

COMMUNIQUEZ

6 À vous !

Vous êtes dans une agence immobilière et vous cherchez un appartement à louer. À l'aide de l'annonce et du plan de l'appartement, jouez la scène avec votre voisin(e).

→ – *Bonjour, je cherche un appartement à louer.*
 – *Où ?...*

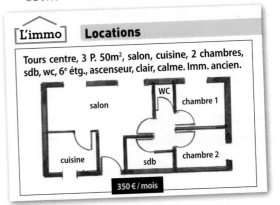

L'immo **Locations**

Tours centre, 3 P. 50m², salon, cuisine, 2 chambres, sdb, wc, 6e étg., ascenseur, clair, calme. Imm. ancien.

350 € / mois

GRAMMAIRE

● **Les pronoms toniques au pluriel**

	pluriel
1re pers.	**nous** *Ma sœur habite avec **nous**.*
2e pers.	**vous** *Oui, c'est ça, à côté de chez **vous**.*
3e pers.	**eux/elles** ***Eux**, ils ont un appartement récent.*

● **Préposition + nom**

Prépositions de lieu
***En face de** la cuisine, vous avez la salle de bains.*
*La chambre est **au bout du** couloir.*
*Vous avez deux placards **dans** l'appartement.*

Autres prépositions : *avec, pour…*
*Je cherche un appartement **avec** deux chambres **pour** ma fille.*

● **L'interrogation avec *où***

– ***Où** sont les placards ? – Dans la chambre.*
– *C'est **où** ? – C'est par là.*
– *Ça se trouve **où** ? – À côté de chez vous.*

4 Les contraires

Trouvez le contraire de chaque adjectif.

1 petit(e)   a ancien(ne)
2 calme   b bruyant(e)
3 récent(e)   c grand(e)
4 clair(e)   d sombre

PRONONCEZ

Articulation tirée, articulation arrondie
Écoutez et répétez.

C'est par où ?

– Pardon, monsieur. Le musée du Louvre,
  c'est par où ?
– Oh ! là, là ! Vous êtes loin. Prenez le métro.
– Je n'aime pas le métro.
– Alors, allez-y en bus ou à vélo : il y a des
  Vélib'[1], au coin de la rue.
– Non, non. J'y vais à pied.
– Bien. Alors, passez par là. Traversez le
  boulevard Haussmann et prenez la rue Scribe
  en face de vous. Tournez à gauche dans la rue
  Auber. Passez devant la poste et la banque
  et vous arrivez place de l'Opéra. Ça va ?
– Oui, oui.
– Ensuite, prenez la grande avenue en face
  et continuez tout droit, jusqu'au bout.
– Hum, hum.

– Et après, traversez la rue de Rivoli et entrez
  dans la cour du Louvre. À droite, vous avez
  le jardin des Tuileries et à gauche le Louvre.
  L'entrée du musée est sous la Pyramide.
– Merci, euh… les Vélib', c'est où ?

---
1 *Vélib* : location de vélos, à Paris.

DÉCOUVREZ

1 C'est par où ?

1 Regardez le plan et repérez :

le musée du Louvre, un grand magasin (les Galeries Lafayette),
le jardin des Tuileries, une banque, l'avenue de l'Opéra.

→ *Sur le plan, le musée du Louvre est entre la rue de Rivoli et la Seine.*

**2 Écoutez le dialogue et suivez le chemin indiqué à l'aide
du plan.** ▶ 26-27

ENTRAÎNEZ-VOUS

2 La bonne direction

Lisez le dialogue et associez.

1 Vous arrivez	**a**	dans la cour.
2 Prenez	**b**	tout droit.
3 Passez	**c**	devant la poste.
4 Continuez	**d**	à gauche.
5 Traversez	**e**	la rue.
6 Tournez	**f**	le boulevard.
7 Entrez	**g**	place de l'Opéra.

GRAMMAIRE

● **L'impératif**

singulier	pluriel
Tourne à gauche.	**Tournez** à droite.
Va tout droit.	**Allez** au coin de la rue.
Prends le bus.	**Prenez** un taxi.

● **Le verbe *prendre* au présent**

	singulier	pluriel
1ʳᵉ pers.	je **prend**s	nous **pren**ons
2ᵉ pers.	tu prends	vous prenez
3ᵉ pers.	il/elle prend	ils/elles **prenn**ent

! Remarquez les trois radicaux.

● **Prépositions et articles contractés**

au (à + le), **à la, à l'**
au musée, **à la** gare, **à l'**hôtel

du (de + le), **de la, de l'**
le musée **du** Louvre, le coin **de la** rue, la place **de l'**Opéra

à ou **en**
à pied, **à** vélo, **à** moto, **en** voiture, **en** bus, **en** taxi

● **L'adverbe y**

Y remplace un lieu précédé de la préposition *à* :
– *Comment est-ce que tu vas **à la poste** ? – J**'y** vais à pied.*
– *Tu vas **au musée** comment ? – J**'y** vais en bus.*

Map labels:
SEINE
PONT
JARDIN DES TUILERIES
RUE SAINT-HONORÉ
COUR DU LOUVRE
RUE DE RIVOLI
MUSÉE DU LOUVRE
PLACE ANDRÉ MALRAUX
PLACE DU PALAIS-ROYAL
PYRAMIDE

COMMUNIQUEZ

5 Quel est le moyen de transport ?

1 Regardez les dessins et lisez les légendes.

à pied   à moto   en rollers   à vélo

en métro

en bus   en voiture   en taxi

2 En général, comment allez-vous à l'école ou au travail ?

3 Écoutez et dites où ils vont et comment ils y vont.

6 Quel est le chemin ?

Vous êtes devant les Galeries Lafayette.
Regardez le plan et indiquez à votre voisin(e)
comment aller : à la poste, au jardin des Tuileries,
à la bibliothèque, place Vendôme.

SAVOIR DIRE

- **Demander son chemin**
  - Le musée du Louvre, c'est par où ?
  - Pour aller à la gare, s'il vous plaît ?
  - Pardon, madame, je cherche la poste.

- **Indiquer la direction**
  - C'est par là/au bout de la rue/à droite…
  - Allez tout droit./Continuez tout droit.
  - Prenez l'avenue en face de vous.

- **Indiquer le moyen de transport**
  - Allez-y en métro.
  - Tu vas au lycée comment ? – J'y vais à pied.

3 Du *vous* au *tu*

Vous donnez ces indications à un(e) ami(e).
Transformez comme dans l'exemple.

Exemple : passez ➜ passe.

Prenez la rue en face de vous, puis continuez tout droit.
Allez jusqu'à la rue de Rivoli. Traversez la rue et passez
dans la cour du Louvre. Tournez à gauche : entrez dans
le musée sous la Pyramide.

4 Vous allez où ?

Utilisez *y*.

Exemple : – Vous allez à la banque ? ➜ – Oui, j'**y** vais.

1 – Elle est dans le jardin ? – Oui, …
2 – Tu passes à la poste ? – Oui, …
3 – Il entre au musée ? – Oui, …
4 – Vous arrivez au Louvre ? – Oui, …
5 – Vous allez dans ce magasin ? – Oui, …

PRONONCEZ

Liaisons et enchaînements

1 Écoutez et notez les liaisons.

Exemple : vous + voyelle : avez ➜ vous_avez

a Vous êtes des étudiants.
b Vous avez des affiches ?
c Vous allez chez vos amis.
d Elles ont des euros.
e Ils entrent dans un hôtel.

2 Écoutez et notez les enchaînements.

Exemple : elle + voyelle : a ➜ elle_a

a Il est à l'hôtel.
b Elle a un chat.
c Il y a un musée.
d Il entre à l'université.
e Elle habite au troisième étage.

Bon voyage !

La Martinique

MONTAGNE PELÉE
SAINT-PIERRE
MUSÉE GAUGUIN
LA MARINA
FORT-DE-FRANCE
SAINTE-LUCE

– Bien, alors, le premier jour, vous partez de Paris et vous arrivez à l'aéroport de Fort-de-France. Là, vous prenez un bus jusqu'à votre hôtel, La Marina, à l'ouest de l'île.

– On est au bord de la mer ?

– Oui, c'est un hôtel à côté de la plage. Votre chambre a une terrasse en face de la mer.

– Et il y a une salle de bains dans la chambre ?

– Oui, bien sûr, monsieur : une salle de bains, le téléphone, la télévision et l'air conditionné. Et, dans l'hôtel, vous avez deux bars, deux restaurants, des boutiques et une piscine.

– Ah ! C'est parfait ! Et on visite l'île aussi ?

– Oui, en hélicoptère. Vous allez aussi en bus à Fort-de-France et à Sainte-Luce au sud, à la montagne Pelée et à Saint-Pierre, au nord… Ah ! bien sûr, visitez le musée Gauguin, à côté de votre hôtel. C'est très sympa !

DÉCOUVREZ

1 C'est où ?

Observez la carte p. 143 et situez l'île de la Martinique.

→ *La Martinique, c'est une île des Antilles, au sud de la Guadeloupe…*

2 Une semaine à la Martinique

1 Écoutez le dialogue et répondez aux questions. ▶ 28-29

a Où sont les deux personnes : dans une agence de voyages, à la réception d'un hôtel ou à l'aéroport ?

b Qu'est-ce qu'il y a à l'hôtel La Marina ?

c Sur l'île, où se trouvent les villes suivantes : Fort-de-France, Saint-Pierre et Sainte-Luce ?

2 Lisez le dialogue et choisissez la bonne réponse.
Que signifie : *On est au bord de la mer […]* et *on visite l'île aussi* ?

a Nous sommes… et nous visitons…

b Vous êtes… et vous visitez…

GRAMMAIRE

● *C'est*

> **C'est + lieu**
> **C'est** au nord de l'île.

> **C'est + article + nom**
> **C'est** un hôtel au bord de la plage.

> **C'est + adjectif**
> **C'est** parfait ! **C'est** sympa !

● Les prépositions de lieu

> *Au nord/sud de, à l'ouest/est de, au bord de, à côté de…*
> *Nice est **au sud de** la France.*

● On

> **On = nous**
> **On** visite l'île.

> **On = les gens**
> *À la Martinique, **on** parle français.*

SAVOIR DIRE

● **Situer un lieu sur une carte**
  – Où est la montagne Pelée ?
  – C'est au nord de l'île.

● **Donner un conseil**
  – Allez au musée Gauguin, c'est très sympa !
  – Et puis, visitez Fort-de-France.

4 Où et comment ?

Complétez les phrases avec *en, au sud de, sur, dans, au bord de, à, en face de.*
1 Nice est … la France, … la Méditerranée.
2 On visite la ville … pied ou … bus ?
3 La visite continue … la Seine, … bateau.
4 On est … un hôtel … la mer.
5 Ils vont … Marseille ce week-end.

ENTRAÎNEZ-VOUS

3 Conseils

Associez les phrases.
1 Mais c'est loin, c'est au nord de la ville !
2 Je cherche un hôtel à Bordeaux.
3 Il n'y a pas l'air conditionné dans ma chambre !
4 On va à Paris ce week-end.

a Allez à Montmartre, c'est très sympa.
b Prends un taxi.
c Téléphone à la réception.
d Va à l'hôtel Concorde, c'est bien.

 l'air conditionné   la salle de sport

 le parking   la télévision   le téléphone

 le bar   la piscine   le restaurant

 la plage   la salle de bains

COMMUNIQUEZ

5 Quel hôtel choisir ?

Écoutez le dialogue et répondez aux questions.
1 Quelles différences est-ce qu'il y a entre le Pacifique et le Continental ?
2 Quel est le conseil de la personne de l'agence ? Pourquoi ?

6 À vous !

En groupes, présentez un circuit de deux jours dans une ville ou une région que vous connaissez bien (en France ou dans un autre pays).

PRONONCEZ

Liaisons interdites
Écoutez et répétez.
1 Nous allons // à la plage.
2 Vous êtes // à pied.
3 Vous allez // à l'hôtel ?
4 Vous avez // une chambre ?
5 Visitez // à pied.

Arrêt sur...

Marseille

La ville de Zidane !

Cathédrale de la Major
Rue de l'Évêché
Musée d'histoire
Rue Colbert
Cours Belsunce
Boulevard Dugommier
Avenue Vaudoyer
Montée des Accoules
Grand'Rue
Musée d'archéologie
Rue de la République
Rue Caisserie
Hôtel de Ville
Quai du Port
La Canebière
Rue de Rome
Fort Saint-Jean
Musée de la Marine
Rue Saint-Ferréol
Vieux-Port
Rue Paradis
Château
Quai de Rive Neuve
Rue de Breteuil
Rue Sainte
Musée Cantini
Basilique Saint-Victor
Boulevard de la Corderie

Pour aller à Marseille

• En avion
Aéroport Marseille Provence
www.marseille.aeroport.fr
+33 (0)4 42 14 14 14

• En voiture
Paris (790 kilomètres)
Genève (430 kilomètres)
Nice (250 kilomètres)

• En train
Gare Marseille Saint-Charles
www.voyages-sncf.com
200 trains par jour
À 3 heures de Paris par le TGV Méditerran...

• En bateau
Port de Marseille • 200 destinations
+33 (0)4 91 39 53 21

Autour de Marseille

Visites en bateau
- Le château d'If et les îles du Frioul : la prison du comte de Monte-Cristo
- Les calanques : par la mer, entre Marseille et Cassis

OFFICE DU TOURISME

4, La Canebière
13001 Marseille

tél : + 33 (0)4 91 13 89 00
fax : + 33 (0)4 91 13 89 20
www.marseille-tourisme.com

À visiter

DANS LA VILLE

- Le Vieux-Port
- L'Hôtel de ville
- Le vieux quartier du Panier
- Notre-Dame-de-la-Garde
- Le palais du Pharo
- La Cité radieuse de Le Corbusier

LES MUSÉES

- **Musée d'histoire de Marseille**
  Square Belsunce, Centre Bourse
  04 91 90 42 22
  Entrée : gratuite.

- **Musée Cantini** (peinture, sculpture)
  19, rue Grignan
  04 91 54 77 75
  Entrée : 2,50 €.

- **Musée d'art contemporain (MAC)**
  69, avenue d'Haïfa
  04 91 25 01 07
  Entrée : 3 €. Étudiants : 1,50 €.

- **Musée d'archéologie méditerranéenne**
  Centre de la Vieille-Charité
  2, rue de la Charité
  04 91 14 58 58
  Entrée : 3 €. Étudiants : gratuit.

Renseignements : www.mairie-marseille.fr

DÉCOUVREZ

1 Marseille, c'est où ?

Dites où se trouve Marseille.

2 Vrai ou faux ?

Lisez le document et dites si c'est vrai ou faux.

1 Marseille est à quatre cent trente kilomètres de Paris.
2 C'est une ville au bord de la mer.
3 Il n'y a pas de visite de l'Hôtel de ville.
4 L'entrée du musée Cantini est de 2,50 € pour un étudiant.
5 On va au château d'If en bateau.
6 Il y a des avions entre Paris et Marseille, mais pas de train.

3 Où vont-ils ? ▶ 30-31

Vous êtes devant le musée Cantini. Regardez le plan de Marseille et écoutez. Dites où vont les deux personnes.

COMMUNIQUEZ

4 Carte postale

Lisez la carte postale d'Audrey.
À votre tour, écrivez une carte postale de Marseille à un(e) ami(e).

> Chère Pauline,
> Je suis à Lille, dans le nord de la France. Cette ville est très jolie. J'habite dans le centre avec Idoia, une amie espagnole : elle va aussi à l'Institut avec moi.
> Nous avons un appartement de 50 m², avec deux chambres : il est très bien. On va au cinéma, dans les bars... On visite aussi des musées. Il y a un Musée d'art moderne très intéressant et gratuit pour les étudiants ! Ce week-end, nous allons à Paris en train. Et toi, comment ça va ?
> À bientôt. Bises,
> Audrey

Pauline
25, ru
7 5 0

DVD

Reportage > L'île de la Réunion

Savoir-faire

1 Cherche appartement.

Vous travaillez à l'agence ABC.

a Écoutez le message et notez les informations données par la femme.

b Lisez les trois annonces et dites quel appartement convient à la femme.

> Appt. 3 pièces 75 m² quartier central, grand séjour, 2 ch., sdb, cuis., avec jardin, clair, calme.
> **650 euros/mois.**

> Appt. 3 pièces 70 m²,
> près du centre, séjour 2 ch.,
> salle de b., cuis., 2e étage avec asc.,
> imm. récent, parking, **750 euros/mois.**

> Appt. imm. récent dans centre ville
> 3 pièces • séjour • 2 ch. • sdb • cuis.
> • 4e ét. asc. • parking
> **680 euros/mois.**

2 Comment est l'appartement ?

Regardez le plan et écrivez un e-mail à un ami pour décrire votre nouvel appartement.

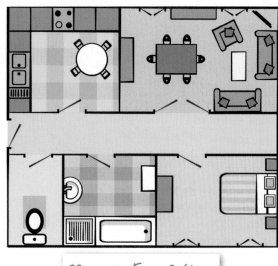

33 rue du Four, 3e étage

3 Comment y aller ?

Vous êtes étudiant à Strasbourg.

a Place du Vieux-Marché-aux-Vins, un touriste vous demande où se trouve la rue des Étudiants. Regardez le plan et indiquez-lui le chemin.

b Au coin de la rue Sainte-Hélène et de la rue du Savon, un autre touriste vous demande où se trouve la place de la Cathédrale. Regardez le plan et indiquez-lui le chemin.
Jouez les deux scènes avec votre voisin(e).

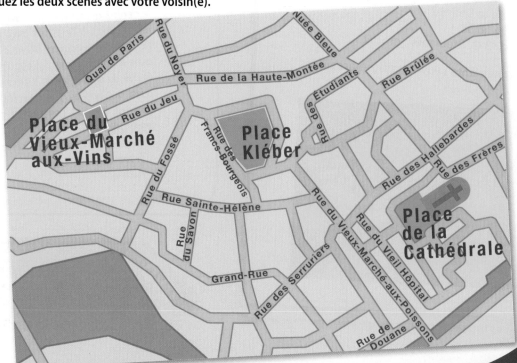

Évaluation 1

Compréhension de l'oral

OBJECTIF Comprendre une indication ou un message simple

1 Écoutez les messages et regardez les dessins.

2 Écoutez à nouveau les messages. Associez les messages et les dessins.

Message 1	Dessin ...
Message 2	Dessin ...
Message 3	Dessin ...
Message 4	Dessin ...
Message 5	Dessin ...

Production orale

OBJECTIF Se présenter et présenter des personnes

1 Dans le train, vous parlez avec votre voisin(e).
Il/Elle est français(e). Vous vous présentez et vous lui posez des questions.

2 Vous lui montrez une photo de votre famille et vous présentez les personnes sur la photo.
Jouez la scène avec votre voisin(e).

Évaluation 1

Compréhension des écrits

OBJECTIF **Identifier une personne**

Lisez les messages et trouvez la personne sur la photo.

> Il est comment ton frère ? Max

> Il est grand, brun. Il porte un jean bleu, un tee-shirt jaune et il a un sac noir. Son train arrive à 4h58. Tony

SMS

Production écrite

OBJECTIF **Écrire un message simple**

Regardez la carte de visite du restaurant et répondez à l'e-mail de Sébastien.

Côté Sud
Restaurant

56, rue du Péré
17180 Périgny
05 46 55 74 03
www.cotesud-restaurant.com

De : seb.perret@wahoo.fr
À : micky_79@freenet.com
Objet : Dîner

Salut Micky,
Je cherche un restaurant pour ce soir.
Tu as une idée ?
Seb

De : micky_79@freenet.com
À : seb.perret@wahoo.fr
Objet : Re : Dîner

Au rythme du temps

Fiction > Un couple veut partir dans l'Aveyron...

Un aller simple

– Bonjour, monsieur, je voudrais un aller Paris-Marseille, s'il vous plaît.

– Vous partez quand ?

– Mardi prochain.

– Le 15 ?

– Oui, c'est ça…

– Le matin ou l'après-midi ?

– Le matin.

– Alors… Il y a un train à 7 h 18…
un autre à 8 h 46… à 9 h 22…

– Le train de 7 h 18, s'il vous plaît.

– Ah ! Je suis désolé, monsieur. Ce train est complet.

– Et le train de 8 h 46, il est complet aussi ?

– Non, il y a de la place.

– C'est parfait.

– Un aller simple ou un aller-retour ?

– Un aller simple. En deuxième classe.

– Voilà.

– C'est combien ?

– 80 euros 10.

lundi **14**	mardi **15**	mercredi **16**	jeudi **17**	vendredi **18**	samedi **19**	dimanche **20**
aller à la banque	**départ**					visiter appartement

DÉCOUVREZ

1 **Quelle heure est-il ?** ▶ 32

Écoutez le dialogue et regardez le billet de train. Trouvez les trois erreurs.

SNCF

17/05/2009

Départ Paris gare de Lyon   **TGV** 6109   07 : 18
Arrivée Marseille Saint-Charles   10 : 20
Classe 2ᵉ   **Tarif** 55 euros

Grammaire

● **L'interrogation**

Quelle heure ?	Quand ?
– **Quelle heure** est-il ?	– Vous partez **quand** ?
– Il est huit heures cinq.	– Samedi prochain, le 15.
– Le train part **à quelle heure** ?	
– À 7 h 18.	

● **Le verbe *partir* au présent**

	singulier		pluriel
1ʳᵉ pers.	je **par**s	**1ʳᵉ pers.**	nous **part**ons
2ᵉ pers.	tu pars	**2ᵉ pers.**	vous partez
3ᵉ pers.	il/elle part	**3ᵉ pers.**	ils/elles partent

! Remarquez les deux radicaux.

3 Vous avez l'heure, s'il vous plaît ?

Dites l'heure.

Exemple : 10 h 15 → *Il est 10 heures et quart.*

1 8 h 20

2 17 h 30

3 11 h 55

4 6 h 45

5 Et maintenant, quelle heure est-il ?

SAVOIR DIRE

- ● **Demander et donner l'heure**
  - – Quelle heure est-il ?
  - – Il est cinq heures moins dix.
  - – Vous avez l'heure, s'il vous plaît ?
  - – Oui, il est deux heures et demie.

- ● **Indiquer une date**
  - – Nous sommes le samedi 15.

- ● **Demander poliment**
  - – Je voudrais un aller simple Paris-Marseille, s'il vous plaît.

ENTRAÎNEZ-VOUS

2 Les pendules sont à l'heure ?

1 Écoutez et répétez les heures.

a Il est midi et quart.

b Il est une heure moins le quart.

c Il est deux heures moins vingt.

d Il est onze heures et demie.

e Il est sept heures dix.

2 Associez les heures de l'exercice précédent aux pendules suivantes.

COMMUNIQUEZ

 ## 4 À la gare

Écoutez et notez les informations.

	1	2	3
Destination			
Heure de départ			
Numéro de la voie			

5 Quand est-ce que vous partez ?

Vous prenez le train pour Nantes.
Demandez des renseignements à un(e) employé(e).
Jouez la scène avec votre voisin(e).

Horaires des trains Paris-Nantes

TGV 8903	Paris-Montparnasse : 07:00	Nantes : 09:00	tlj
TGV 8909	Paris-Montparnasse : 09:00	Nantes : 11:09	tlj
TGV 8163	Paris-Montparnasse : 10:00	Nantes : 12:13	tlj
TGV 8823	Paris-Montparnasse : 12:00	Nantes : 14:14	tlj
TGV 8179	Paris-Montparnasse : 17:00	Nantes : 19:13	ven
TGV 8965	Paris-Montparnasse : 18:30	Nantes : 20:33	tlj
TGV 8879	Paris-Montparnasse : 20:00	Nantes : 22:09	dim

tlj : tous les jours – dim : dimanche – ven : vendredi.

PRONONCEZ

A. Attention aux chiffres !

Écoutez et répétez.

B. Opposer [s] **et** [z]

Écoutez et répétez.

À Londres

– Mais c'est Isabelle !... Isabelle, Isabelle !

– Farid ! Oh ! mais quelle surprise !
Comment vas-tu ?

– Bien. Et toi ? Mais qu'est-ce que tu fais là ?

– Ben, tu vois, je travaille. Je suis secrétaire à l'Institut français… Et toi, alors, qu'est-ce que tu fais dans la vie, maintenant ?

– Je suis informaticien.

– Ah ! oui, et où est-ce que tu travailles ?
À Londres ?

– Non, non. Je travaille à Paris, mais j'habite à Vendôme. Je prends le TGV pour aller travailler.

– Ah ? Tous les jours ?

– Non, je vais à Paris du lundi au mercredi seulement. Le reste de la semaine, je travaille à la maison.

– Et tu pars à quelle heure le matin ?

– Très tôt. À 6 h 30. Et je rentre tard le soir, vers 21 h, 21 h 30. Mais c'est seulement trois jours par semaine, ça va.

– Qu'est-ce que tu fais à Londres, alors ?

– Ah ! là, je suis en vacances.

DÉCOUVREZ

1 Par hasard… ▶33

Écoutez le dialogue et répondez.

1 Quelle est la profession d'Isabelle ?
   a Secrétaire.
   b Informaticienne.
   c Professeur de français.

2 Où est-ce que Farid habite ?
   a À Paris.
   b À Vendôme.
   c À Londres.

3 Le jeudi, Farid travaille :
   a À Londres.
   b À Paris.
   c À la maison.

4 À quelle heure est-ce qu'il rentre, le soir, du lundi au mercredi ?
   a À 18 heures trente.
   b Vers 21 heures, 21 heures 30.
   c Vers 22 heures.

ENTRAÎNEZ-VOUS

2 Curiosité

Transformez la question avec *est-ce que.*
Exemple : *Tu commences à quelle heure ?*
   → *À quelle heure est-ce que tu commences ?*

1 Tu habites où ?
2 Vous arrivez quand ?
3 Vous faites quoi, maintenant ?
4 Comment tu vas ?
5 Ils partent à quelle heure ?

3 Qu'est-ce qu'ils font ?

Imaginez la question.

1 À six heures.
2 Le vendredi soir.
3 Dans ma chambre.
4 En train.
5 Ils travaillent.

SAVOIR DIRE

● **Demander et dire la profession**
– Qu'est-ce que tu fais/vous faites dans la vie ?
– Quelle est ta/votre profession ?
– Je suis acteur.

● **Situer dans le temps**
– Je prends le TGV tous les jours.
– Je vais au bureau le mardi et le jeudi, deux jours par semaine.
– Je travaille du lundi au mercredi.
– Le soir, je rentre tard, vers 22 heures.

GRAMMAIRE

● **Le verbe *faire* au présent**

	singulier		pluriel
1ʳᵉ pers.	je **fais**	1ʳᵉ pers.	nous **faisons**
2ᵉ pers.	tu **fais**	2ᵉ pers.	vous **faites**
3ᵉ pers.	il/elle **fait**	3ᵉ pers.	ils/elles **font**

❗ On prononce *nous **faisons*** : [fəzɔ̃].

● **L'interrogation avec *est-ce que***

Tu travailles à Londres ?
→ **Est-ce que** tu travailles à Londres ?

Tu travailles où ?
→ **Où est-ce que** tu travailles ?

Tu pars quand ?
→ **Quand est-ce que** tu pars ?

❗ *Tu fais quoi ?* → *Qu'est-ce que tu fais ?*

● **Le genre des noms**

masculin		féminin	
-e	*photographe*	**-e**	*photographe*
-eur	*serveur*	**-euse**	*serveuse*
-teur	*acteur*	**-trice**	*actrice*
-ien	*informaticien*	**-ienne**	*informaticienne*

4 Qu'est-ce que vous faites dans la vie ?

Trouvez la profession correspondant à la définition.

Exemple : *Je travaille dans un grand magasin.*
→ *Un vendeur/Une vendeuse.*

1 Je travaille dans un bar.
2 Je joue de la guitare dans un groupe de rock.
3 Je travaille avec des ordinateurs.
4 Je fais des photos pour un journal.
5 Je fais du cinéma.

COMMUNIQUEZ

5 À quelle heure ?

Écoutez et indiquez le jour et l'heure des deux rendez-vous.

6 Rendez-vous

Indiquez à votre directeur/directrice ses rendez-vous. Jouez la scène avec votre voisin(e) : il/elle note les rendez-vous. Ensuite, comparez vos notes.

MARS

LUNDI 18
15 h 00 Réunion avec le directeur commercial

MARDI 19
10 h 30 Rendez-vous à la banque avec M. Henry
13 h 00 Déjeuner avec M. Yamada (société Nikon)

MERCREDI 20
8 h 30 Départ pour Lille, en TGV
10 h 30 Rendez-vous avec M. Mauzé (société BTB)
18 h 30 Départ de Lille pour Paris
20 h 00 Arrivée à Paris

PRONONCEZ

Les trois voyelles nasales

1 Écoutez et dites où est la voyelle nasale : dans le premier ou dans le deuxième mot ?

2 Écoutez et dites quel est le féminin du nom ou de l'adjectif : le premier ou le deuxième mot ?

Le dimanche matin

En général, qu'est-ce que vous faites le dimanche matin ?

1 Le dimanche matin ? Je fais d'abord un footing. Ensuite, je joue au foot ou au tennis avec des amis. Et l'après-midi, je me repose.

2 Moi, je fais les courses. Et ma femme prépare les enfants et elle joue avec eux. Ou alors on part pour la journée. Et on va souvent à la campagne.

3 Le dimanche matin, je fais le ménage ; après, je me lave et je m'habille. Ensuite, j'écoute de la musique, je lis ou j'écris à des amis.

4 Moi, tous les samedis soir, je vais en boîte et je rentre vers 5 ou 6 heures du matin. Alors, moi, le dimanche, je dors ! Et je me lève à midi.

DÉCOUVREZ

1 Qui est-ce ? ▶ 34

Écoutez puis lisez les témoignages. Associez-les aux dessins **a** à **e** ci-dessus.

2 Qui fait quoi ?

Repérez dans quel(s) témoignage(s) l'activité est mentionnée.

Exemple : Ils font des courses. → *Témoignages 2 et 5.*

1 Elle écoute de la musique.
2 Il fait un footing le matin.
3 Il se repose l'après-midi.
4 Elle se lève à midi.
5 Ils vont souvent à la campagne.
6 Ils déjeunent avec leurs enfants.
7 Elle écrit à ses amis.
8 Elle rentre chez elle vers cinq ou six heures du matin.

GRAMMAIRE

● **Les verbes *lire* et *écrire* au présent**

singulier		pluriel	
1re pers.	je **lis**	1re pers.	nous **lis**ons
2e pers.	tu lis	2e pers.	vous lisez
3e pers.	il/elle lit	3e pers.	ils/elles lisent

singulier		pluriel	
1re pers.	j'**écri**s	1re pers.	nous **écriv**ons
2e pers.	tu écris	2e pers.	vous écrivez
3e pers.	il/elle écrit	3e pers.	ils/elles écrivent

● **Les verbes pronominaux**

singulier		pluriel	
1re pers.	je **me** lève	1re pers.	nous **nous** levons
2e pers.	tu **t'**habilles	2e pers.	vous **vous** habillez
3e pers.	il/elle **se** lave	3e pers.	ils/elles **se** lavent
Infinitifs : se lever, **se** laver, **s'**habiller.			

● ***Faire (de), jouer (à)* + nom de sport**

*Nous faisons **du** vélo, **de la** natation et **de l'**athlétisme.*

– À quoi est-ce que vous jouez ?
*– Nous jouons **au** foot.*

5 Ah ! Ma femme et moi, nous prenons le petit déjeuner vers 9 heures. Après, on va au marché. À midi, nous déjeunons avec nos enfants, chez eux ou chez nous.

SAVOIR DIRE

● **S'informer sur une activité en cours**
– Qu'est-ce que vous faites (maintenant) ?
– Je lis.

● **S'informer sur une activité habituelle**
– Qu'est-ce que vous faites le dimanche ?
– Je fais du sport.

● **Dire quel sport on fait**
– Quel sport est-ce que tu fais ?
– Je joue au tennis et je fais de la natation.
– Qu'est-ce que vous faites comme sport ?
– Nous faisons du vélo.

---

5 **Ils font quel sport ?**

Associez les dessins et les mots et dites ce que fait le personnage.

Exemple : *le tennis* ➔ *Il fait du tennis.*

1 le ski **3** l'athlétisme **5** le vélo
2 la moto **4** la natation **6** la gymnastique

a

b

c

d

e

f

ENTRAÎNEZ-VOUS

3 **Qu'est-ce qu'ils font ?**

Complétez avec des formes des verbes *faire*, *lire* et *écrire*.

1 – Qu'est-ce que tu … ?
– Je … le journal et après j' … à des amis.
2 – Quand est-ce que vous … les courses ?
– Le samedi matin, en général.
3 – Vous … souvent le journal ?
– Tous les jours.
4 – Qu'est-ce que vous … ?
– Une lettre. C'est pour Charlotte.
5 – Qu'est-ce que vous … le dimanche matin ?
– Nous … le journal.

4 **Et toi ? Et elle ?**

Transformez ces phrases en utilisant *tu*, puis *elle*.
Le dimanche matin, je me lève à 10 heures, je fais le ménage et après je me lave. L'après-midi, je me repose, puis je fais du tennis.

COMMUNIQUEZ

 6 **Et vous ?**

Discutez avec votre voisin(e).
1 Qu'est-ce que vous faites comme sport ?
2 Qu'est-ce que vous faites le dimanche matin ?
Et le dimanche après-midi ?
3 Que fait-on, en général, le week-end dans votre pays ?

PRONONCEZ

Le [R] : final, entre deux voyelles ou initial
Écoutez et répétez.

Arrêt sur...

Une journée avec
Laure Manaudou

Bravo Laure ! À 22 ans, elle est championne de France, d'Europe et du monde de natation. Mais une vie de championne est difficile !

Elle se lève tous les matins vers 6 heures. Elle fait sa toilette. Ensuite, elle s'habille et elle prend son petit déjeuner : fruit, yaourt, céréales et jus d'orange. À 7 heures, elle est à la piscine. Elle s'entraîne jusqu'à 10 heures.

Puis elle retourne à son appartement à côté de la piscine. Elle reprend l'entraînement l'après-midi, à 15 heures 30. Elle nage 15 kilomètres par jour ! Sa journée se termine vers 19 heures 30.

Elle rentre chez elle. Elle mange, elle regarde un peu la télé et elle téléphone à des amis. Elle se couche tôt, vers 22 heures. Elle dort huit heures par nuit.

Pour se détendre…

- Elle écoute de la musique.
- Elle joue aux cartes.
- Elle dort beaucoup.

Le samedi soir, elle est libre. Elle sort, elle va au restaurant ou au cinéma avec des amis. Le dimanche, elle dort jusqu'à midi. Elle passe l'après-midi avec des amis ou avec sa famille.

Et, le lundi, une nouvelle semaine recommence…

D'après *Actuelles*, janvier 2008.

DÉCOUVREZ

1 Qui est-ce ?

1 Connaissez-vous Laure Manaudou ? Que fait-elle dans la vie ?

2 Dites si c'est vrai, faux ou si on ne sait pas.
a Laure Manaudou se lève tôt le matin.
b D'abord, elle prend son petit déjeuner.
c L'après-midi, elle ne s'entraîne pas.
d Elle ne s'entraîne pas le dimanche.
e Tous les mercredis, elle sort avec des amis.
f Le soir, elle lit.
g La nuit, elle dort de dix heures du soir à six heures du matin.

2 Quand ?

Relevez les indications de temps dans le texte et dites ce que fait Laure Manaudou à ce moment-là.
→ *À 6 heures du matin, elle se lève.*

3 Interview

Imaginez les questions de la journaliste.
→ *À quelle heure est-ce que vous vous levez le matin ?…*

COMMUNIQUEZ

 4 Et vous ?

1 Dites ce que fait Laure Manaudou pour se détendre.

2 Et vous, que faites-vous pour vous détendre ?

 5 Emploi du temps

Posez des questions à votre voisin(e) sur son emploi du temps habituel. Utilisez les questions de la journaliste (activité 3).

 6 Une journée avec…

À la manière de l'article ci-contre, racontez la journée de votre voisin(e). Utilisez *je*.
→ *Je me lève…*

Reportage > L'Aveyron

Savoir-faire

1 Quel film choisir ?

a Vous êtes étudiant(e) dans une école de langues. Avec des amis, vous voulez aller au cinéma mercredi soir. Écoutez le message du cinéma CGR et indiquez :
– les horaires des films ;
– les salles ;
– le prix des billets.

Julia

L'Heure d'été

John Rambo

La Maison jaune

Paris

Taken

b Avec vos amis, vous allez au cinéma à huit heures et demie. Quel film allez-vous voir ? Dans quelle salle passe ce film ? Quel prix payez-vous ?

2 À l'hôtel

Vous êtes en vacances dans une ville inconnue.
À la réception de votre hôtel, vous posez des questions sur…
– les heures du petit déjeuner ;
– les heures des repas, au restaurant de l'hôtel ;
– les heures d'ouverture des magasins en ville ;
– les horaires des films, au cinéma ;
– les heures des bus.

Jouez la scène à deux.

3 Invitation

Répondez à l'invitation de Paul. Vous refusez son invitation.

Qu'est-ce que tu fais dimanche après-midi ? Il y a un match de tennis à Roland-Garros et j'ai deux billets. Est-ce que tu es libre ? Rendez-vous chez moi à midi pour le déjeuner.
Ça te va ?
Paul

4 Demande d'informations

Un(e) ami(e) cherche un club de sport à Toulouse. Vous avez les informations ci-contre. Écrivez-lui un e-mail pour lui donner des informations sur ce club.

monclubdesport.com

Activités
↗ gymnastique ↗ natation ↗ jacuzzi
↗ vélo ↗ danse ↗ tennis

Horaires
↗ toute l'année, 7 jours sur 7
↗ du lundi au vendredi de 7 h à 21 h
↗ les samedis et dimanches de 7 h à 18 h

Contact
↗ 10, rue de Genève – 31400 Toulouse
05 61 52 50 52

La vie de tous les jours

Vous allez apprendre à...

exprimer des besoins.

indiquer des quantités.

interroger sur la durée.

rapporter des événements passés.

exprimer une opinion.

parler de vos habitudes alimentaires.

faire une liste de courses.

parler de votre journée.

évoquer des fêtes traditionnelles.

Pour...

DVD

Fiction > Un réveillon de Noël entre amis...

On fait des crêpes ?

– C'est la Chandeleur. On fait des crêpes, ce soir ?
– D'accord, mais tu fais les courses.
– Et toi, tu fais les crêpes, alors.
– Oui, bien sûr. On invite Max et Sarah ?
– Ah, oui ! Bon. Il faut de la farine et des œufs, c'est ça ?
– Hum, hum.
– Combien de kilos de farine ?
– Un kilo de farine et six œufs. Achète aussi un litre de lait et 250 grammes de beurre.
– C'est tout ?
– Non, prends du sucre et de la confiture. Et du cidre.
– Deux bouteilles, c'est assez ?

– Oui, ça va. Et achète aussi de l'eau minérale, du Coca et des céréales…
– Des céréales ? Pour faire des crêpes !
– Non, pour le petit déjeuner.
– Ah ! Tu téléphones à Max et Sarah ?
– D'accord.
– Bon. J'y vais.

DÉCOUVREZ

1 La liste de courses 🔊 ▶ 35

1 Écoutez et relevez sur la liste les courses que vous entendez.

2 Complétez la liste et indiquez les quantités.

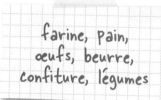

farine, pain, œufs, beurre, confiture, légumes

ENTRAÎNEZ-VOUS

2 Au supermarché

Complétez avec un des trois mots proposés.

1 Prends du…	**a** viande.	**b** poisson.	**c** pommes de terre.
2 Achète de la…	**a** riz.	**b** confiture.	**c** légumes.
3 Prends aussi de l'…	**a** pain.	**b** fromage.	**c** eau.
4 Donnez-moi des…	**a** céréales.	**b** salade.	**c** vin.
5 Tu bois du…	**a** beurre.	**b** lait.	**c** pain.

GRAMMAIRE

● **L'article partitif**

Il désigne une partie d'un ensemble :

du + nom masculin	Il faut **du** sucre.
de la + nom féminin	Il faut **de la** farine.
des + nom pluriel	Achète **des** céréales.

Avec la négation, *du, de la, des* → **de** :
– Il y a **du** pain ?
– Non, il n'y a pas **de** pain.

! Devant une voyelle, *du, de la, des, de* → *de l'* et *d'* :
J'achète **de l'**eau et je n'achète pas **d'**œufs.

● **Le verbe *boire* au présent**

singulier		pluriel	
1re pers.	je **boi**s	**1re pers.**	nous **buv**ons
2e pers.	tu bois	**2e pers.**	vous buvez
3e pers.	il/elle boit	**3e pers.**	ils/elles **boiv**ent

● **Les verbes *acheter* et *manger* au présent**

singulier		pluriel	
1re pers.	j'ach**è**te je mange	**1re pers.**	nous achetons nous mangeons

SAVOIR DIRE

● **Demander et exprimer des besoins**
– Qu'est-ce qu'il faut ?
– Il faut de la confiture.

● **S'informer sur des habitudes**
– Qu'est-ce que tu prends au petit déjeuner ?
– Je prends du café au lait.
– Qu'est-ce que tu bois ?
– De l'eau, s'il te plaît.

● **Indiquer des quantités**
– Combien de kilos de farine ?
– Un kilo.
– Prends une bouteille d'eau minérale et un litre de lait.

3 Les habitudes

Répondez aux questions.

1 – Qu'est-ce que vous mangez au petit déjeuner ?
   – Nous…

2 – Qu'est-ce que vous buvez le matin, du thé ou du café ?
   – Nous…

3 – Qu'est-ce que vous prenez au déjeuner ?
   – Nous…

4 – Qu'est-ce que vous prenez au dîner ?
   – Nous…

le riz

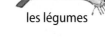
les légumes

le vin

les pommes de terre

la salade

le fromage

le poisson

le pain

la viande

Poids
● un gramme
● une livre (500 grammes)
● un kilo (1 000 grammes)

4 Non…

Transformez comme dans l'exemple.

Exemple : Tu bois du Coca au déjeuner ?
   → *Non, je ne bois pas de Coca, je bois de l'eau.*

1 Il y a de la salade avec la viande ?
2 Tu bois du thé au petit déjeuner ?
3 Vous mangez des légumes le soir ?
4 Vous buvez du vin avec le poisson ?
5 Tu prends du fromage le matin ?

COMMUNIQUEZ

5 Qu'est-ce qu'on mange ?

Écoutez et faites la liste des courses.

6 Qu'est-ce que vous prenez aux repas ?

Posez des questions à votre voisin(e). Demandez quelles sont ses heures de repas et ce qu'il/elle prend en général.

→ *À quelle heure est-ce qu'on prend le petit déjeuner chez vous ? Qu'est-ce qu'on mange au petit déjeuner ?…*

En général, en France, on prend :
● **le petit déjeuner** entre 7 et 9 heures ;
● **le déjeuner** entre midi et deux heures ;
● **le dîner** entre 7 heures et 9 heures du soir.

PRONONCEZ

Opposer les voyelles [œ], [ɔ] **et** [œ], [ø]
Écoutez et répétez.

Il est comment ?

– Alors, Fabien, qu'est-ce que tu as fait hier ?

– Eh bien, j'ai fait les magasins.

– Non ! Toi ?

– Oui, oui. C'est pour le ski. Je pars à Val d'Isère dimanche.

– Et qu'est-ce que tu as acheté, alors ?

– Eh bien, j'ai acheté ces chaussures.

– Waouh ! Elles sont très jolies !

– Ouais, bon… Ce sont des chaussures de ski, c'est tout !… J'ai aussi pris un pull.

– Il est comment ton pull ?

– Tiens, regarde.

– Ah oui, c'est un beau pull !

– Hum, hum… Il est très chaud.

– Et hier soir, qu'est-ce que tu as fait ?

– J'ai dîné dans un petit restaurant italien à côté de chez moi, avec ma sœur.

– Il est bien, ce restaurant ?

– Très bien. Il est simple, mais la cuisine est bonne. Ma sœur a pris des pâtes et, moi, j'ai mangé une pizza.

– Et pour le dessert ?

– Nous n'avons pas pris de dessert.

– Et bien, moi, j'ai travaillé toute la journée et j'ai dîné seul !

DÉCOUVREZ

1 Message

1 Regardez le document. C'est :

a un e-mail.

b une carte postale.

c un sms.

> Salut Clara. C'est bon. J'ai acheté des chaussures et un pull pour le ski. À dimanche dans les Alpes. Fabien

2 Lisez le message.
Dites si c'est vrai, faux ou si on ne sait pas.

a Fabien écrit à une amie.

b Il a acheté des vêtements.

c Il a déjeuné dans un bon restaurant.

d Il part ce week-end pour faire du ski.

2 Écoutez le dialogue et dites ce que Fabien a fait hier. ▶ 36

GRAMMAIRE

● Le passé composé

Formation : auxiliaire *avoir* au présent + **participe passé**

	singulier	pluriel
1re pers.	j'**ai acheté**	nous avons acheté
2e pers.	tu as acheté	vous avez acheté
3e pers.	il/elle a acheté	ils/elles ont acheté

Le participe passé

Verbes en -er → -é	**Autres verbes → -i, -is, -u**
acheter → acheté	sortir, finir → sorti, fini
manger → mangé	prendre → pris
	boire, vendre, voir → bu, vendu, vu

! *être → été*   *avoir → eu*   *faire → fait*

La négation
*Nous n'avons **pas** pris de dessert.*

● L'accord de l'adjectif *beau*

singulier	pluriel
beau, bel, belle	**beaux, belles**
un beau pull	*des beaux magasins*
un bel homme	*des belles chaussures*

4 Qu'est-ce qu'ils ont fait ?

Trouvez la question.

Exemple : *J'ai acheté un pantalon noir très joli.*
→ *Qu'est-ce que tu as acheté ?*

1 Elle a fait les magasins.

2 Non, nous avons mangé à la maison.

3 Oui, ils ont passé une très bonne journée.

4 Non, j'ai pris le bus.

5 Il a bu un café au restaurant.

5 C'est joli, non ?

Proposez une réponse.

Exemple : *– La cuisine est comment dans ce restaurant ?*
→ *– Elle est excellente.*

1 – Tu aimes mon nouveau pantalon ? – Oui, …

2 – Tu n'achètes pas ces chaussures ? – Non, …

3 – Alors, comment trouvez-vous mon tiramisu ? – Il …

4 – Il est joli ton pull ! – Oui, et …

SAVOIR DIRE

● **Rapporter des événements passés**
– J'ai fait les magasins.
– Qu'est-ce que tu as acheté ?

● **Exprimer une opinion**
– Ce restaurant est très bien.
– La cuisine est bonne.
– C'est un beau pull.
– Tes chaussures sont très jolies.

COMMUNIQUEZ

6 Qu'est-ce que vous avez fait hier ?

Écoutez et dites ce que l'homme a fait entre 20 heures et 23 heures.

7 L'alibi

Un inspecteur de police vous demande ce que vous avez fait hier entre 17 heures et 21 heures. Jouez la scène avec votre voisin(e).

→ *– À 17 heures, j'ai fait des courses.*
– Et qu'est-ce que vous avez acheté ? …

ENTRAÎNEZ-VOUS

3 Hier…

1 Donnez l'infinitif des participes passés.

a acheté   d passé

b dîné   e fait

c mangé   f pris

2 Écrivez les phrases suivantes au passé.

Bon, alors, aujourd'hui, je fais les courses… J'achète un sac pour Mathieu et un tee-shirt pour Alex. Ensuite, je déjeune avec Anne. Je prends le train pour Lyon à 15 heures. Et le soir, je dîne chez ma mère.

→ *Hier, …*

PRONONCEZ

La mise en relief : l'accent d'insistance

Ajoutez un accent fort sur le mot important.
Écoutez l'enregistrement. Prononcez et accentuez la syllabe soulignée.

Exemple : *Nous avons passé une **ex**cellente journée !*

1 C'est une **belle** robe !

2 Le manteau noir est **très** beau !

3 Elles ont coûté **soi**xante-douze euros !

4 Tu as **en**core acheté des chaussures !

5 C'est un restaurant **i**talien !

LEÇON 19

Chère Léa…

Chère Léa,

Étienne et moi, nous sommes à Barcelone pour le week-end, chez Alicia. Nous sommes arrivés vendredi en avion. Samedi, Alicia et moi, nous sommes allées faire des courses. Nous avons marché toute la journée. Le soir, nous sommes allés au restaurant tous les trois et nous sommes rentrés à deux heures du matin. Nous avons passé une excellente soirée !

Ce matin, nous avons visité le musée Picasso et, cet après-midi, nous sommes allés au parc Güell. C'est magnifique !

Nous rentrons dans deux jours.

À bientôt. Bisous,

Mathilde

18, avenue de la République

| 3 | 3 | 2 | 0 | 0 | BORDEAUX |

DÉCOUVREZ

1 Carte postale

Lisez plusieurs fois la carte postale. Puis cachez le texte et répondez.

1 Quand est-ce qu'Étienne et Mathilde sont arrivés à Barcelone ?

2 Combien de temps restent-ils à Barcelone ?

3 Qu'est-ce que Mathilde a fait samedi, toute la journée ? Avec qui ?

4 Et samedi soir, où est-ce qu'elle est allée ? Avec qui ?

5 À quelle heure est-ce qu'ils sont rentrés ?

6 Qu'est-ce qu'ils ont visité à Barcelone ?

7 Quand est-ce qu'ils rentrent ?

2 Repérages

Relevez, sur la carte postale, les actions passées.

1 Quels sont les verbes qui se conjuguent :

   a avec l'auxiliaire *avoir* ?   **b** avec l'auxiliaire *être* ?

2 Dans quel cas est-ce que le participe passé s'accorde avec le sujet ?

GRAMMAIRE

● **Le passé composé avec l'auxiliaire *être***

Les verbes suivants et leurs composés se conjuguent avec l'auxiliaire *être* au passé composé :
aller, venir, entrer/sortir, arriver/partir, monter/descendre, passer, rester, tomber, devenir, naître/mourir.

! Avec l'auxiliaire *être*, le participe passé s'accorde avec le sujet.
Elle est arrivé**e** vendredi.
Mathilde et Alicia sont allé**es** faire des courses.
Mathilde et Étienne sont allé**s** au restaurant.

● ***Pour*** et ***dans*** + durée future

– Ils sont partis **pour combien de temps** ?
– **Pour** deux jours.

– Ils rentrent **quand/dans combien de temps** ?
– **Dans** une semaine.

SAVOIR DIRE

● **Parler d'événements passés**
– Nous sommes arrivés vendredi soir.
– Ils sont rentrés hier.

● **Interroger sur le moment et la durée**
– Ils sont arrivés quand ?
– Aujourd'hui. La semaine dernière. Le mois dernier.
– Tu es restée combien de temps ?
– Cinq jours.
– Ils sont partis pour combien de temps ?
– Pour deux jours.
– Tu reviens quand ?
– Dans une semaine.

ENTRAÎNEZ-VOUS

3 Qu'est-ce qu'ils ont fait à Barcelone ?

1 Associez la question et la réponse.

2 Dans les réponses, faites l'accord du participe passé si nécessaire.

a Qu'est-ce qu'ils ont fait dimanche matin ?
b Ils sont allés en boîte après le restaurant ?
c Et samedi soir, qu'est-ce qu'elle a fait ?
d Elles sont allées au parc Güell, samedi ?
e Quand est-ce que Mathilde est arrivée à Barcelone avec son ami ?

1 Étienne et elle sont arrivé... vendredi.
2 Non, samedi, elles ont fait... des courses.
3 Ils ont visité... le musée Picasso.
4 Elle est allé... au restaurant avec Alicia et Étienne.
5 Non, ils sont rentré... chez Alicia.

4 Combien de temps ?

Complétez.

1 – Tu es restée... ?
   – Trois semaines.
2 – Elles sont parties... ?
   – Pour un mois.
3 – Tu reviens... ?
   – Dans trois jours.
4 – ... est-ce qu'il faut pour aller en ville ?
   – Dix minutes en voiture.

COMMUNIQUEZ

5 De retour de Barcelone

Écoutez et dites :
1 quand Mathilde est rentrée de Barcelone ;
2 combien de temps elle est restée là-bas ;
3 quand elle y retourne avec Étienne ;
4 pour combien de temps.

6 Et vous ?

Racontez à votre voisin(e) ce que vous avez fait la semaine dernière.

PRONONCEZ

Groupes rythmiques, liaisons et enchaînements

1 Divisez les phrases en groupes rythmiques.

2 Marquez les liaisons et les enchaînements.
   Exemple : *Elles sont_allées en_Italie // chez leurs_amies.*
   a À quelle heure sont-elles allées en ville ?
   b Elles sont revenues chez elles à six heures.
   c Elles ont acheté un cadeau à leurs amies.
   d Elles sont allées au théâtre et au concert.

3 Prononcez les phrases, puis écoutez .

Arrêt sur...

Les fêtes

Pour le 14 juillet, la Saint-Valentin ou pour Noël, qu'est-ce que vous faites ? La fête avec des amis ou un dîner à deux ? Le *Nouveau Magazine* a fait son enquête.

a « Pour le 14 juillet, cette année, je suis allée à Paris, avec deux copines de la fac. Nous avons vu le feu d'artifice à côté de l'Arc de triomphe et ensuite nous sommes allées dans une boîte sur les Champs-Élysées. Et on a fait la fête toute la nuit. »

b « À Noël, l'année dernière, avec mon mari, nous sommes allés une semaine à Vienne pour fêter nos vingt ans de mariage. Nous avons visité toute la ville à pied. Nous sommes bien sûr allés dans des pâtisseries viennoises ; nous aimons beaucoup les gâteaux ! Nous avons passé des moments magnifiques là-bas. »

DÉCOUVREZ

1 Qui dit quoi ?
Lisez les textes et dites qui parle.
1 Sylvain, 22 ans.
2 Magali, 19 ans.
3 Élisa, 26 ans.
4 Éva, 42 ans.

2 Photos de fête
1 Associez les quatre textes ci-dessus et les photos correspondantes.

2 Associez les trois autres photos aux fêtes suivantes.
a La Chandeleur
b La fête du Travail
c Le nouvel an

3 Qu'est-ce qu'on fait pour... ?
Associez les fêtes et les activités ci-contre.
1 Au nouvel an,
2 Pour la Chandeleur,
3 À la Saint-Valentin,
4 Pour la fête du Travail,
5 Pour la fête de la Musique,
6 Le 14 juillet,
7 À Noël,

c « Arthur et moi, nous allons toujours au restaurant **pour la Saint-Valentin.** Cette année, nous avons mangé sur un bateau, dans un très bon restaurant. C'est romantique, non ? »

d « **Pour la fête de la Musique,** le 21 juin, on a passé la nuit dans les rues à écouter de la musique avec des copains. On a beaucoup marché et on a vu des groupes sympa. Et c'est gratuit ! Je suis rentré à trois heures du matin. »

a on fait des crêpes.

b on offre du muguet (c'est une fleur).

c on fait un grand repas en famille et on fait des cadeaux.

d on regarde le feu d'artifice.

e on dit *bonne année* à sa famille et à ses amis.

f on fait un cadeau à sa femme, à son mari, à son/sa petit(e) ami(e).

g on va dans la rue et on écoute de la musique.

COMMUNIQUEZ

4 Et dans votre pays ?

1 Quelles sont les fêtes qui existent aussi dans votre pays ?
2 Quelles sont les fêtes de votre pays qui n'existent pas en France ?

5 Souvenirs, souvenirs...

Racontez par écrit un très bon souvenir de fête en famille ou avec des amis.

Reportage >
Décorations de fête

Savoir-faire

1 Vous avez deux messages.

Vous avez deux messages sur votre messagerie de téléphone portable. Écoutez-les et écrivez la liste des courses à faire.

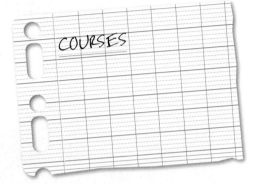

COURSES

2 Habitudes alimentaires

Le magazine *Elle à Table* publie un article sur les habitudes alimentaires des étrangers pour le petit déjeuner. Vous écrivez, pour ce magazine, quelques lignes sur votre pays et sur vous. Aidez-vous du modèle suivant.

→ *En général dans mon pays, pour le petit déjeuner, on prend…*
Pour mon petit déjeuner, moi, je prends…

3 Une bonne journée ?

Vous avez fait les magasins. Un(e) ami(e) vous téléphone. Racontez-lui :
– quand vous avez fait les magasins ;
– avec qui vous avez fait du shopping ;
– dans quels magasins vous êtes allé(e) ;
– ce que vous avez acheté.

Votre ami(e) vous pose des questions (→ *Il est de quelle couleur ?…*).

Jouez la scène avec votre voisin(e).

4 Une belle fête !

Vous avez organisé une fête chez vous. Vous racontez la soirée dans un e-mail à un(e) de vos ami(e)s.

Pensez à donner les renseignements suivants.
– À quelle occasion est-ce que vous avez organisé la fête (jour de fête nationale, départ ou retour d'un(e) ami(e)…) ?
– Qui est-ce que vous avez invité ?
– Qu'est-ce que vous avez acheté et préparé ?
– Qu'est-ce que vos invités ont fait pendant la soirée ?
– Quand sont-ils partis ?…

Vivre avec les autres

▶ demander et donner une permission.

▶ conseiller quelqu'un.

▶ organiser une réunion ou une soirée.

▶ vous présenter dans un cadre professionnel.

Vous allez apprendre à...

exprimer la possibilité, la volonté et l'obligation.

dire ce qui est permis et interdit.

faire, accepter et refuser des propositions.

▶ **Pour ...**

DVD

Fiction > Un jeune homme se rend à un entretien d'embauche...

LEÇON 21

C'est interdit !

1 – Excusez-moi, madame, il est interdit
de fumer dans le restaurant.

– Où est-ce que je peux fumer, alors ?

– Vous pouvez fumer sur la terrasse.

– Sur la terrasse ? Alors, ça ! Non merci !

– Madame, s'il vous plaît ! Ne fumez pas ici !

2 – Je voudrais une chambre, s'il vous plaît.
Pour une personne.

– Pour une personne… D'accord.
Donnez-moi votre passeport, s'il vous plaît…
Ah ! Vous avez un chien ?

– Oui.

– Je suis désolé, monsieur, mais vous ne
pouvez pas prendre votre chien avec vous
dans la chambre.

– Mais comment ça ? !

3 – Pardon, madame, vous ne pouvez pas
utiliser votre portable.

– Comment ça, je ne peux pas ! Mais je
téléphone à mon fils ! C'est très important !

– Non madame, je suis désolée. Ce n'est pas
possible. On ne peut pas téléphoner dans
l'avion. Téléphonez-lui à l'aéroport, à l'arrivée.

GRAMMAIRE

● Le verbe *pouvoir* au présent

	singulier		pluriel
1re pers.	je **peu**x	**1re pers.**	nous **pouv**ons
2e pers.	tu peux	**2e pers.**	vous pouvez
3e pers.	il/elle peut	**3e pers.**	ils/elles **peuv**ent

❗ Remarquez les trois radicaux. ❗ *Pouvoir* + infinitif : *Je **peux** entrer ?*

● La négation de l'impératif

Ne et *pas* entourent le verbe.
***Ne** traversez **pas**. **N'**entre **pas**.*

● Les pronoms compléments indirects (COI)
à l'impératif

On utilise les pronoms COI avec des verbes comme *donner/
téléphoner/parler (**à** quelqu'un)* ou *acheter (**pour** quelqu'un).*

1re pers.	*Parle-**moi**.*	*Téléphone-**nous** demain.*
2e pers.	*Achète-**toi** un pull.*	*Achetez-**vous** une voiture.*
3e pers.	*Téléphonez-**lui**.*	*Donnez-**leur** votre adresse.*

❗ Les pronoms COI se placent **après l'impératif à la forme affirmative.**

DÉCOUVREZ

1 **Où est-ce qu'ils sont ?** ▶ 37-39
**Écoutez les dialogues et dites où se trouvent
les différentes personnes.**

2 **Qu'est-ce qu'ils ne peuvent pas faire ?**
**Écoutez à nouveau et dites ce que les personnes
ne peuvent pas faire.**

Dialogue 1 : Elle ne peut pas…

Dialogue 2 : Il ne peut pas…

Dialogue 3 : Elle ne peut pas…

- **Demander, donner et refuser une permission**
  - Où est-ce que je peux fumer ?
  - Vous pouvez fumer sur la terrasse.
  - Vous ne pouvez pas prendre votre chien.

- **Exprimer des interdictions**
  - Il est interdit de fumer.
  - On ne peut pas téléphoner dans l'avion.
  - Ce n'est pas possible.
  - Ne fumez pas !

3 Lucie ! Anna ! Voilà 20 €. Allez, achetez-... un CD.

4 Sophie arrive ! Montre-... tes photos d'Espagne.

5 Non, nous ne prenons pas le métro. Appelez-... un taxi.

6 Ils aiment bien la cuisine italienne : faites-... des pâtes.

ENTRAÎNEZ-VOUS

3 Et ici ?

Indiquez ce qu'on peut faire ou ne pas faire dans les lieux suivants.

1 Au cinéma.
2 Dans la salle de classe.
3 Au restaurant.

4 Qu'est-ce qui est permis ?

Observez les dessins. Demandez à votre voisin(e) ce qu'on peut faire ou ne pas faire. Plusieurs réponses sont possibles.

Exemple : Est-ce qu'on peut entrer ?
→ Non, on ne peut pas entrer/il est interdit d'entrer/ il n'est pas permis d'entrer ici./ N'entrez pas.

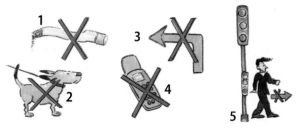

5 Qu'est-ce qu'ils disent ?

Complétez les phrases avec *moi, toi, lui, nous, vous* ou *leur.*

1 Patrick, dites-... l'heure du rendez-vous avec M. Chen, s'il vous plaît.
2 Non, tu n'es pas bien dans ce pull ! Prends-... une autre couleur !

COMMUNIQUEZ

6 Au régime

Vous allez chez votre médecin. Il/Elle vous indique ce que vous pouvez ou ne pouvez pas manger et ce que vous pouvez faire (aller au travail à pied, faire du sport, etc.). Jouez la scène avec votre voisin(e).

CHOLESTÉROL

- ✓ le poisson
- ✓ les pâtes
- ✓ les légumes
- ✓ les fruits

- ✓ le beurre
- ✓ les pommes de terre
- ✓ le chocolat
- ✓ l'alcool

PRONONCEZ

Opposer [ʃ] et [ʒ]

Dites si vous entendez [ʃ] ou [ʒ].

1 Elle a le choix.
2 Ils sont chez eux.
3 J(e) peux l(e) faire.
4 J(e) veux partir.
5 C'est léger.
6 J(e) sais pas.
7 Ce n'est pas la joie !
8 J(e) prends le train.

Petites annonces

HÔTEL DU MUSÉE
NICE

Vous êtes un H ou une F entre 25 et 35 ans, souriant(e) et dynamique. Vous voulez travailler avec des clients français et étrangers. Vous savez parler anglais, espagnol et italien. Vous pouvez travailler parfois le week-end.

Nous cherchons un(e) réceptionniste.

Contactez Madame Davoust
Directrice
Hôtel du musée
56, promenade des Anglais
06200 Nice
04 93 75 28 39

1 F cherche travail

1 Lisez la petite annonce. Répondez aux questions.

a Que signifient *H* et *F* ?

b Quelles sont les qualités demandées pour ce travail ?

2 Écoutez le dialogue. Répondez aux questions. ►40

a Combien de personnes parlent ?

b Qui sont ces personnes ?

c Quels sont les points forts et les points faibles de la personne pour ce travail ?

GRAMMAIRE

● **Le verbe *vouloir* au présent**

	singulier		pluriel
1re pers.	je **veu**x	1re pers.	nous **voul**ons
2e pers.	tu veux	2e pers.	vous voulez
3e pers.	il/elle veut	3e pers.	ils/elles **veul**ent

! On peut dire : *Je veux un thé, s'il vous plaît* ou *Je voudrais un thé* (forme polie).

● **Le verbe *savoir* au présent**

	singulier		pluriel
1re pers.	je **sai**s	1re pers.	nous **sav**ons
2e pers.	tu sais	2e pers.	vous savez
3e pers.	il/elle sait	3e pers.	ils/elles savent

! Remarquez les deux radicaux.
! *Savoir + infinitif : Tu **sais** parler anglais ?*

● ***Il faut* + infinitif**

Il faut <u>travailler</u> le week-end.
Il ne faut pas <u>fumer</u>.

● **Le futur proche**

Formation : *aller* **au présent + infinitif**
*Je **vais avoir** 22 ans.*
*Il **va apprendre** l'espagnol.*

! L'adverbe *y* se place devant l'infinitif : *Je vais **y** habiter.*

SAVOIR DIRE

- **Exprimer la possibilité**
  – Oui, je peux travailler le week-end.

- **Exprimer le savoir-faire**
  – Je sais parler anglais et allemand.

- **Exprimer la volonté**
  – Elle veut travailler.

- **Exprimer l'obligation**
  – Il faut travailler le week-end.

ENTRAÎNEZ-VOUS

2 *Pouvoir*, *vouloir* ou *savoir* ?

Complétez les phrases avec un de ces trois verbes.

1 Elle … parler allemand ?
2 Tu … mettre cette lettre à la poste ?
3 – Vous … aller au cinéma, ce soir ?
  – Ah ! oui, c'est une bonne idée.
4 – Ils … venir à la fête, samedi ?
  – Non, ce n'est pas possible.
5 Pas de problème, nous … répondre au téléphone.

3 Que faire ?

Qu'est-ce qu'il faut faire dans les situations suivantes ?
Exemple : *Vous voulez aller au théâtre.*
  → *Il faut réserver des places.*

1 Vous voulez réserver une chambre d'hôtel à Paris.
2 Vous voulez apprendre l'italien.
3 Vous voulez avoir les horaires des trains pour Nice.
4 Vous voulez acheter un appartement.

4 Ils vont le faire.

Dites ce qu'ils vont faire, comme dans l'exemple.
Exemple : *– Mathilde est allée à la poste ?*
  → *– Non, mais elle va y aller.*

1 Tu as déjeuné ?
2 Il est venu chez toi ?
3 Ils sont partis hier ?
4 Vous êtes allés dans ce restaurant ?
5 Elle s'est levée ?
6 Ils se sont promenés ce matin ?

COMMUNIQUEZ

5 Cours particulier

Écoutez et répondez aux questions.
1 Quel est le problème de l'enfant ?
2 Combien d'heures de cours la femme veut-elle pour sa fille ?
3 Quand l'étudiant peut-il venir ?

6 Un entretien

Lisez la petite annonce. Jouez avec votre voisin(e) l'entretien entre le directeur du restaurant et le/la candidat(e).

Restaurant

LA BONNE ASSIETTE

7, place de la Victoire – 33000 Bordeaux

Cherche un(e) serveur/serveuse, minimum 23 ans, deux années d'expérience dans la restauration. Anglais indispensable.

Contactez M. André – 05 56 10 51 47

PRONONCEZ

Les semi-voyelles [ɥ] et [w]

Écoutez et dites si vous entendez [ɥ] ou [w].
Puis prononcez la phrase.

1 Il va dans la cuisine.
2 Ils ont dit oui.
3 C'est bruyant ici !
4 Louis est venu.
5 Ils arrivent aujourd'hui.

Qu'est-ce qu'on lui offre ?

– Mais qu'est-ce que vous faites ?

– Eh bien, on cherche une idée de cadeau
  pour Colette.

– Mais pourquoi ? C'est son anniversaire ?

– Mais non ! Elle quitte l'agence cette semaine.
  Elle part à la retraite.

– Ah ! mais oui, c'est vrai !

– Et alors, on lui offre un cadeau pour son départ.

– Oui, mais on ne sait pas quoi acheter.

– Tu la connais bien, toi, Colette. Quels sont ses goûts ?

– Qu'est-ce qu'elle aime ? Je ne sais pas, moi…
  Offrez-lui des fleurs… Ou pourquoi pas un CD
  de Pavarotti ? Elle l'adore !

– Ce n'est pas très original !

– Bon, alors, vous pouvez lui offrir un livre d'art
  sur la photo ou sur la peinture.

– Ah ! oui, tiens, ça c'est une bonne idée…
  Ah ! mais non, le directeur lui achète un livre !

– Ah ! Écoutez, bon, je suis désolé mais
  je n'ai pas d'autre idée…

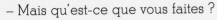

DÉCOUVREZ

1 **Quel cadeau choisir ?** ►41

**1 Écoutez le dialogue. Dites si c'est vrai, faux ou si on
ne sait pas.**

a C'est l'anniversaire de Colette.

b Ses collègues lui offrent un cadeau.

c L'homme connaît bien Colette.

d Les deux femmes n'ont pas d'idée pour le cadeau.

e Colette aime beaucoup la photo.

f Ses collègues vont lui acheter un livre.

**2 Que remplacent *lui* (ligne 8) et *la* (ligne 10) ?
Quelle différence est-ce qu'il y a entre ces deux
pronoms ?**

GRAMMAIRE

● **Le verbe *connaître* au présent**

singulier		pluriel	
1ʳᵉ pers.	je **conn**ais	**1ʳᵉ pers.**	nous **connaiss**ons
2ᵉ pers.	tu connais	**2ᵉ pers.**	vous connaissez
3ᵉ pers.	il/elle connaît	**3ᵉ pers.**	ils/elles connaissent

● **Les pronoms compléments
d'objet direct (COD)**

On utilise les pronoms COD avec les verbes sans
préposition (construction directe).

	singulier	pluriel
3ᵉ pers.	**le** – *Tu lis **le journal** ?* – *Non, je ne **le** lis pas.* **la** – *Tu connais **Colette** ?* – *Oui, je **la** connais.*	**les** – *Tu achètes **les fleurs** ?* – *D'accord, je **les** achète.*

! Devant une voyelle, *le* et *la* → *l'* : *Elle **l'**adore.*

● **Les pronoms compléments
d'objet indirect (COI)**

On utilise les pronoms COI avec les verbes suivis
de la préposition *à* (construction indirecte).

	singulier	pluriel
3ᵉ pers.	**lui** – *On offre un cadeau* ***à Colette** ?* – *Oui, on **lui** offre* *un cadeau.*	**leur** – *Tu téléphones* ***à tes amis** ?* – *Non, je ne **leur*** *téléphone pas.*

SAVOIR DIRE

- **Faire des propositions**
  - – Offrez-lui des fleurs.
  - – Pourquoi pas un CD ?
  - – Vous pouvez offrir un livre d'art.

- **Accepter une proposition**
  - – Oui. C'est une bonne idée.

- **Refuser une proposition**
  - – Ah ! mais non.
  - – Ce n'est pas très original.
  - – Non, je ne peux pas.

5 E-mail

Complétez l'e-mail.

De :	hugo_mathieu@hotmail.com
À :	maxime_fabrice@free.fr
Objet :	anniversaire de Valérie et Frédéric

Salut Fabrice,

Pour l'anniversaire de Valérie, je … offre le dernier CD de Moby : elle ne … a pas. Et Frédéric, je … achète un livre d'art. Et toi, qu'est-ce que tu … offres à tous les deux ? Pour les gâteaux, pas de problème, Delphine et Pascal … font. Et la salade, je … prépare. À samedi !

Mathieu

ENTRAÎNEZ-VOUS

2 Réponse à tout

Complétez les phrases avec *le, la, l'* ou *les*.
Exemple : Tu connais **le nouveau restaurant**, place de Clichy ?
→ Oui, je **le** connais.

1 – Il achète <u>les fleurs</u> pour ce soir ?
  – Oui, il … achète.
2 – Tu fais <u>la cuisine</u> ?
  – Non, je ne … fais pas.
3 – Vous invitez <u>Anne</u> à la fête ?
  – Oui, je … invite.
4 – Tu laisses <u>le blouson</u> dans la voiture ?
  – Oui, je … laisse.
5 – Vous prenez <u>votre agenda</u> avec vous ?
  – Non, je ne … prends pas !

3 *Lui ou leur ?*

Répondez aux questions avec *lui* ou *leur*.
1 – Elle a écrit à ses parents ? – Non, …
2 – Tu offres des fleurs à ta femme ? – Oui, …
3 – Vous faites un cadeau à Thomas ? – Non, …
4 – Tu téléphones à tes amis pour ce week-end ? – Oui, …
5 – Ils parlent au directeur ce matin ? – Non, …

4 Qu'est-ce qu'ils font ?

Trouvez la question.
1 Il le prend à 17 h 30.
2 Oui, bien sûr, elle les invite.
3 Oui, nous l'achetons tous les jours.
4 Je lui offre un CD.

COMMUNIQUEZ

 6 L'anniversaire surprise

Vous organisez une fête surprise pour l'anniversaire d'un(e) ami(e). Avec votre voisin(e), imaginez la discussion pour l'organisation de la soirée : le lieu de la fête, le(s) cadeau(x), les invités, les plats à préparer, les surprises…

PRONONCEZ

Le *e* caduc

Écoutez et prononcez. Quel *e* est-ce qu'on supprime dans la prononciation ?
1 Je le connais.
2 Je ne sais pas.
3 On le voit.
4 Vous le faites.
5 Nous le savons.
6 Je ne mange pas ça.

Arrêt sur...

Le candidat

● ● ● **COMMENT RÉUSSIR**

Avant l'entretien

- ● Recherchez des informations sur l'entreprise.
- ● Passez une bonne nuit.
- ● Faites attention à votre présentation générale : les vêtements, les cheveux...
- ● Arrivez à l'heure.

D'après les conseils donnés par l'ANPE (Agence nationale pour l'emploi).

idéal...

UN ENTRETIEN ?

Pendant l'entretien

- Restez calme et souriant(e).

- Regardez dans les yeux la personne en face de vous.

- Écoutez avec attention et répondez avec des phrases courtes.

- Ne racontez pas votre vie ou vos problèmes.

- Parlez correctement : n'utilisez pas de mots familiers.

- Posez, vous aussi, des questions : sur le travail, les horaires, l'entreprise

---

DÉCOUVREZ

1 Qu'est-ce que c'est ?

Lisez le document. Qui l'a écrit ? Pour qui ?

2 Et quoi encore ?

Ajoutez trois autres conseils pour réussir un entretien.

→ *Ne fumez pas pendant l'entretien…*

3 Les erreurs 🔊 ▶42

Écoutez le dialogue. Quels sont les conseils que la candidate ne respecte pas ?

COMMUNIQUEZ

4 Et dans votre pays ?

Avec votre voisin(e), répondez aux questions suivantes.
Au travail, dans votre pays…

1 Est-ce qu'on peut fumer ?

2 Est-ce qu'on peut dire *tu* au directeur ou à la directrice ?

3 Est-ce qu'il faut arriver et partir exactement à l'heure ?

5 À vous !

Choisissez un thème (*Comment réussir une fête avec des amis, Comment réussir un voyage à l'étranger…*).
À la manière de *Comment réussir un entretien*, écrivez un petit guide.

Reportage > La recherche d'emploi

Savoir-faire

 1 Règlement intérieur

Votre école ou université veut proposer
un nouveau règlement intérieur, écrit
en collaboration avec les étudiants.
Les étudiants font dix propositions écrites.
Discutez avec votre voisin(e) du nouveau
règlement intérieur.

Puis faites une liste de dix propositions.

Liste de propositions

1. Il est interdit de fumer dans l'école.
2.
3.
4.
5.
6.
7.
8.
9.
10.

2 Fête d'anniversaire

Lisez l'e-mail de Théo et répondez-lui.

– Vous acceptez sa proposition.
– Vous demandez à Théo de préparer un plat
  et de téléphoner aux invités.
– Vous donnez des idées pour le cadeau.

De :	theo.marchal@yahoo.fr
À :	reza.yas@hotmail.fr
Objet :	Anniversaire de Mathilde

Salut Yasmine,

C'est l'anniversaire de Mathilde samedi.
Est-ce que tu peux faire une fête chez toi ?
Et qu'est-ce qu'on lui offre ? Je n'ai pas d'idée.
Bises,

Théo

 3 Baby-sitter

Avec votre voisin(e), choisissez
un personnage (A ou B).

A Vous cherchez un(e) baby-sitter pour
votre fils, Hugo, et votre fille, Morgane.

B Vous aimez beaucoup les bébés
et vous voulez travailler le week-end
comme baby-sitter.

a Préparez des questions à poser
à l'autre personne.
b Jouez la scène avec votre voisin(e).

4 Petit guide

Vous êtes professeur de français. Sur le modèle
de *Comment réussir un entretien ?* pages 72-73,
écrivez le petit guide suivant.

Comment progresser
en français ?

Pendant les leçons
...

Après les leçons
...

DELF A1

Évaluation 2

Compréhension de l'oral

OBJECTIF 1 **Comprendre l'emploi du temps d'une personne**

Lisez les questions puis écoutez l'enregistrement deux fois. Répondez aux questions.

1 À quelle heure est-ce que cet homme se lève ?

2 À quelle heure est-ce qu'il prend son petit déjeuner ?

3 Entre 11 heures et midi, il : **a** écrit. **b** déjeune. **c** lit les journaux.

4 Entre 16 heures et 19-20 heures, il : **a** écrit. **b** se promène. **c** fait du sport.

5 Le soir, il regarde la télé. **a** Vrai. **b** Faux. **c** On ne sait pas.

OBJECTIF 2 **Comprendre des horaires**

a **Écoutez les dialogues. Associez les dessins et les dialogues.**

b **Écoutez à nouveau les dialogues et notez les heures.**

Dialogue n° …	Dialogue n° …	Dialogue n° …	Dialogue n° …
Heure : …	Heure : …	Heure : …	Heure : …

Production orale

OBJECTIF 1 **Demander des informations**

À partir des mots ci-dessous, posez cinq questions à votre voisin(e).
Puis inversez les rôles. (Utilisez cinq autres mots.)

heure ?   activités ?   fête ?   famille ?   anniversaire ?

couleur ?   pays ?   téléphone ?   restaurant ?   courses ?

OBJECTIF 2 **Faire des courses**

Vous êtes au marché. Vous faites les courses pour préparer un dîner avec des amis.
Vous posez des questions sur les produits (quantité, prix…) et vous achetez.
Jouez la scène avec votre voisin(e) (le/la client(e) et le/la vendeur/vendeuse).
Puis inversez les rôles.

Évaluation 2

Compréhension des écrits

OBJECTIF **Comprendre un récit simple**

Lisez l'e-mail de Romain et répondez aux questions.

De : rom1@wanakoo.fr
À : micha@telecom.ch
Objet : Vacances

Salut Michaël,

Les vacances, c'est fini. Nous sommes rentrés dimanche soir de Marrakech. Notre avion est arrivé vers neuf heures à Marseille. Ahmed et moi, nous sommes restés une semaine chez ses parents : ils ont une très belle maison à côté de la place Djema El Fna. Nous sommes arrivés lundi dernier là-bas. Mardi, nous avons fait des courses dans la Médina et nous avons visité les jardins Majorelle. Mercredi et vendredi, nous sommes allés à la piscine toute la journée. Jeudi, nous avons pris un bus et nous avons passé la journée à Essaouira, une petite ville sur la côte Atlantique. Et samedi, nous avons visité la Koutoubia et acheté des vêtements à Guéliz. Nous avons passé une excellente semaine ! Et toi, où es-tu allé pour les vacances ? Est-ce que tu es resté en Suisse ?

Je t'appelle demain. À bientôt !
Romain

1 Romain est parti en vacances :
a avec Ahmed.
b avec Michaël.
c seul.

2 Pour ses vacances, il est allé :
a en Suisse.
b à Marseille.
c à Marrakech.

3 Il est arrivé là-bas :
a dimanche.
b lundi.
c jeudi.

4 Il est parti en vacances :
a cinq jours.
b une semaine.
c un mois.

Production écrite

OBJECTIF 1 **Parler d'événements passés**

Envoyez un e-mail à un(e) ami(e) pour lui raconter vos dernières vacances.

OBJECTIF 2 **Refuser une proposition**

Lisez le message et écrivez une réponse (vous ne pouvez pas aller à la fête).

Chère Clara, cher Xavier,
Alexandra et moi, nous faisons une fête pour notre anniversaire de mariage, le 1er juin, à la maison.
Qu'est-ce que vous faites ce jour-là ?
Est-ce que vous pouvez venir ?
À bientôt !
Fabien

Un peu, beaucoup, passionnément...

parler de vos loisirs et de vos vacances.

parler des avantages et des inconvénients de différents styles de vie.

comparer des goûts et des habitudes.

Vous allez apprendre à...

exprimer une opinion.

exprimer des goûts et des préférences.

exprimer une contestation.

donner des conseils.

exprimer la fréquence et l'intensité.

Pour ...

Fiction > Une famille se prépare à partir en vacances...

Enquête

QUESTIONNAIRE

1 **Sexe :** ☐ H ☐ F
Âge : ☐ 18/25 ☐ 36/50
☐ 26/35 ☐ 51 et +

2 **Faites-vous du sport ?**
☐ oui (☐ un peu ☐ beaucoup) ☐ non

3 **Le week-end, vous sortez...**
☐ beaucoup ☐ un peu ☐ pas du tout

4 **Avec qui sortez-vous ?**
☐ avec votre famille ☐ avec des amis

5 **Quelles sont vos activités préférées ?**
☐ le cinéma ☐ le théâtre
☐ l'opéra ☐ les musées

6 **Que préférez-vous ?**
☐ lire (un livre, un journal, un magazine)
☐ regarder la télévision
☐ aller sur Internet

7 **Avec vos amis, où préférez-vous dîner ?**
☐ chez vous/eux ☐ au restaurant

8 **Et après, où sortez-vous, en général ?**
☐ dans les bars ☐ dans les discothèques

DÉCOUVREZ

1 Les loisirs des Français

1 Regardez le dessin. Dites ce que fait la femme.

2 Quelles questions est-ce qu'on pose à une personne pour connaître ses goûts ? Comparez avec le questionnaire.

3 Écoutez le dialogue. Trouvez les réponses données. 🔊▸43

4 Lisez les phrases et dites ce que remplacent *en* et *ça*.

a J'ai fait du sport, mais aujourd'hui, non… je n'**en** fais plus.

b J'aime beaucoup le cinéma… (…) Mais l'opéra et les musées, non… Je déteste **ça** !

GRAMMAIRE

● **La fréquence et la quantité**

> **beaucoup** et **peu**
> – Vous sortez **beaucoup** ? – Non, je sors **peu**.

> **beaucoup de** et **(un) peu de** + nom
> – Vous faites **beaucoup de** sport ?
> – Non, je fais **un peu de** sport.
>
> – Vous lisez **beaucoup de** livres ?
> – Non, je lis **peu de** livres.

● **Le pronom** *en*

> *En* remplace *du/de la/de(s)* + nom.
> – Vous faites **du** sport ? – Oui, j'**en** fais.
> – Tu ne veux pas **de** pain ? – Non, je n'**en** veux pas.

> *En* remplace un nom précédé d'une expression de quantité.
> – Tu fais **beaucoup de** sport ? – Oui, j'**en** fais **beaucoup**.
> – Tu lis **beaucoup de** livres ? – Non, j'**en** lis **peu**.
> – Je prends **un kilo de** sucre ? – Oui, prends-**en** un kilo.

● **Le pronom** *ça*

> *Ça* remplace :
> – un nom :
> *Le chocolat ? Oui, j'aime* **ça**.
> – une proposition infinitive :
> *Aller au cinéma ? Oui, j'aime beaucoup* **ça**.

● **La négation** *ne... plus*

> *Je* **ne** *vais* **plus** *au restaurant.*
> *J'ai fait du sport, mais je* **n'**en fais **plus**.

SAVOIR DIRE

● **Exprimer des goûts et des préférences**
 – J'aime bien le théâtre.
 – Il adore faire la cuisine.
 – J'aime beaucoup le cinéma mais je préfère le théâtre.
 – Je déteste ça.

● **Exprimer la fréquence**
 – Je sors un peu.
 – Oui, j'en fais beaucoup.

● **Exprimer l'intensité**
 – J'aime bien.
 – J'aime beaucoup. Un peu. Pas du tout.

---

2 Un peu, beaucoup…

Répondez à la question avec en.

Exemple : – *Vous faites beaucoup de sport ?*
  → – *Oui, j'**en** fais beaucoup.*

1 – Il a fait du théâtre ? – Oui, …
2 – Vous avez du travail, en ce moment ? – Oui, …
3 – Elle a un peu de temps pour sortir ? – Oui, …
4 – Tu lis beaucoup de magazines ? – Oui, …

3 Pas du tout !

Imaginez la fin des phrases avec en et ne plus.

Exemple : J'aime bien faire du sport mais je **n'en** fais **plus**, je **n'ai plus** le temps.

1 J'aime bien manger des pommes de terre mais…
2 J'aime acheter des CDs mais…
3 J'adore prendre des photos mais…
4 J'aime beaucoup offrir des cadeaux à mes amis mais…

4 Question de goût

Associez la question et la réponse.

1 Tu aimes regarder des films à la télé ?
2 Tu fais de la natation ?
3 Tu aimes aller dans les musées ?
4 Tu sors beaucoup en discothèque ?
5 Tu invites tes amis chez toi, en général ?

a Ah ! non, je déteste ça ! Tu sais, moi, la peinture…
b Oui, j'en fais un peu.
c Oui, mais je préfère aller au cinéma.
d Ah ! oui, j'adore ça, j'aime bien faire la cuisine.
e Non, je n'aime pas beaucoup danser.

5 J'aime… je déteste…

Lisez le tableau. Dites, vous aussi, ce que vous aimez et ce que vous détestez.

J'aime…	Je déteste…
le cinéma	le poisson
la musique classique	la couleur verte
faire la fête	travailler
téléphoner à mes amis	prendre l'avion
…	…

 ## 6 À vous !

Avec votre voisin(e), utilisez le questionnaire de l'enquête et parlez de vos goûts et de vos préférences. Puis présentez les goûts de votre voisin(e) à la classe.

→ *Il/Elle fait un peu de sport. Il/Elle regarde beaucoup la télé mais elle aime bien lire aussi…*

Le e entre deux consonnes

Soulignez les e qu'on n'entend pas. Prononcez les phrases et écoutez l'enregistrement.

1 J'aime beaucoup le cinéma.
2 Je n'aime pas le poisson.
3 Il fait un peu de sport le dimanche.
4 Vous avez beaucoup de travail ?
5 J'adore le théâtre !

LEÇON 26

Quitter Paris

– Comment ! Céline et toi, vous quittez Paris ?

– Eh oui, on a acheté une maison à la campagne, à côté d'Albi.

– Et vous… ?

– Eh oui, on va habiter là-bas.

– Mais attends… Je ne comprends pas…
Pourquoi est-ce que vous partez à la campagne ?

– Mais parce qu'à Paris, il y a trop de voitures, trop de pollution, il n'y a pas assez d'espaces verts… Et puis, c'est trop bruyant aussi !
Moi, tu comprends, je ne peux plus vivre ici.

– Écoute, il y a aussi beaucoup d'avantages à Paris ! Il y a des théâtres, des cinémas… On peut sortir tous les jours dans les bars ou en boîte… Il y a des magasins ouverts le dimanche…

– Mais attends, mais qu'est-ce que tu t'imagines ! À la campagne aussi, il y a des choses à faire.

– Oui, mais alors vraiment pas beaucoup !
Et puis, tout le monde se connaît ; moi, je n'aime pas ça !

– Eh bien, moi, je trouve ça pas mal du tout.
On connaît les gens, on parle ensemble… Ici, dans mon immeuble, je ne connais pas du tout mes voisins.

– Eh bien, moi, je les connais tous… Et Céline, qu'est-ce qu'elle en pense ?

– Ah ! Céline, elle est d'accord avec moi.
Elle aussi, elle préfère partir.

– Vous avez peut-être raison…

DÉCOUVREZ

1 Pour ou contre ? ▶44

1 Regardez la photo et lisez le titre de la leçon. Imaginez le sujet du dialogue.

2 Écoutez et précisez le sujet du dialogue.

Céline et son mari :

a ont acheté une maison de vacances à côté d'Albi.

b quittent Paris pour habiter à la campagne.

c ont acheté une maison de campagne à côté de Paris.

3 Écoutez à nouveau le dialogue et répondez.

a Quels sont les avantages et les inconvénients de la vie à Paris ?

b Quels sont les avantages et les inconvénients de la vie à la campagne ?

GRAMMAIRE

● **L'expression de la cause**

– **Pourquoi** est-ce que vous partez à la campagne ?
– **Parce que** c'est trop bruyant.
– **Parce qu'**à Paris, il y a trop de voitures.

● *Trop* et *assez*

+ adjectif	+ nom
C'est **trop** bruyant.	Il y a **trop de** voitures.
C'est **assez** chaud.	Il y a **assez de** choses à faire.
Ce n'est **pas assez** calme.	Il n'y a **pas assez d'**espaces verts.

● *Tout*

	adjectif	pronom
masculin	**Tout** le monde se connaît. On peut sortir **tous** les jours.	Je les connais **tous***.
féminin	**Toute** sa famille habite là-bas. **Toutes** ses amies quittent Paris.	Elles sont **toutes** d'accord avec moi.

* Le pronom *tous* se prononce [tus].

3 *Trop* ou *pas assez* ?

Complétez avec *trop (de)* ou *pas assez (de)*.

1 Je ne fais … sport, en ce moment, parce que j'ai … travail.
2 Nous quittons notre appartement ; il est … bruyant et … grand.
3 Passe à la boulangerie. Il n'y a … pain pour le dîner.
4 La salle est … petite : il n'y a … places.
5 Ce n'est … calme. Changeons de table.

4 *Tout*

Choisissez la forme soulignée qui convient.

1 Il y a eu du bruit tout/toute la journée.
2 J'ai invité tous/toutes mes voisins à la fête, samedi soir.
3 Il y a tout/toute le temps des problèmes dans cet immeuble.
4 Tous/Toutes ses amies sont parties habiter à Paris.
5 Elle aime bien tous/toutes les cuisines du monde.

5 *Tous* ou *toutes* ?

Répondez avec *tous* ou *toutes*.

1 – Tes voisins sont venus à la fête ? – Oui, …
2 – Les photos sont belles ? – Oui, …
3 – Les invités sont arrivés ? – Oui, …
4 – Les petits gâteaux sont sur la table ? – Oui, …
5 – Vos filles sont mariées ? – Oui, …

SAVOIR DIRE

● **Demander et exprimer une opinion**
– Qu'est-ce qu'elle en pense ?
– Je trouve ça pas mal du tout.
– Je n'aime pas ça.
– Je suis d'accord.
– Vous avez raison.

● **Exprimer une contestation**
– Qu'est-ce que tu t'imagines !
– Je ne comprends pas !

ENTRAÎNEZ-VOUS

2 Pour quelle raison ?

Imaginez une réponse à chaque question avec *parce que*.

1 Pourquoi est-ce qu'elle est fatiguée ?
2 Pourquoi est-ce qu'elle va au travail à pied ?
3 Pourquoi est-ce que tu changes d'appartement ?
4 Pourquoi est-ce qu'il part à Marseille ?
5 Pourquoi est-ce que vous lui offrez un cadeau ?

COMMUNIQUEZ

6 Qu'en pensez-vous ?

Répondez aux questions suivantes et justifiez vos réponses. Préférez-vous :

1 vivre en ville ou à la campagne ?
2 voyager seul ou avec des amis ?
3 faire les courses au marché ou dans un supermarché ?
4 travailler peu et gagner un peu d'argent ou travailler beaucoup et gagner beaucoup d'argent ?

PRONONCEZ

Opposer des termes par l'intonation

Écoutez et imitez l'intonation.

LEÇON 27

Vivement les vacances !

– Alors, dites-moi, les filles, vous allez où pendant les vacances ?

– Ah ! moi, je pars à Arcachon dans ma famille.

– Ah bon ? Ta famille habite là-bas ?

– Oui, enfin, mon frère et sa femme. Avec leurs deux enfants… Ah ! mais j'adore les vacances avec eux ! On va à la plage, on se baigne, on s'amuse, on mange des glaces, on se repose… Enfin, bref, les vacances, quoi !

– Eh bien, amuse-toi bien ! Mais moi, la plage, je ne peux pas. Je déteste ça ! Il fait trop chaud… Et je m'ennuie !

– Ah bon ? Tu vas faire quoi, alors ?

– Cette année, avec Max, nous allons faire du camping dans le Cantal, à la campagne. Tu sais, nous, on aime beaucoup le calme, la nature… et le camping. On adore ça !

– Ah ! oui, oui… Et toi, alors, Virginie, tu fais quoi ?

– Moi, je vais toujours à l'étranger. Cette année, je pars deux semaines en Sicile, dans un hôtel avec piscine. J'y suis allée deux fois. C'est vraiment beau et je me suis bien amusée.

– Bon, eh bien, les filles, calmez-vous maintenant, et arrêtez de rêver, parce que la pause-café, c'est fini. Allez, au travail !

– Oh ! là, là ! Vivement les vacances !

DÉCOUVREZ

1 Vivement les vacances ! ▸ 45

1 Écoutez et répondez aux questions.

a Combien de personnes parlent ?

b Quel est le sujet de la conversation ?

2 Écoutez à nouveau. Dites où chaque femme va et où elle dort pendant ses vacances.

La première… ; la deuxième… ; la troisième…

3 Relevez ce que chaque femme aime faire pendant ses vacances.

La première… ; la deuxième… ; la troisième…

GRAMMAIRE

● Les verbes pronominaux

Rappel : le verbe est précédé d'un pronom qui renvoie au sujet : *me, te, se, nous, vous, se.*

	singulier	pluriel
1re pers.	*je **me** lève*	*nous **nous** levons*
2e pers.	*tu **te** lèves*	*vous **vous** levez*
3e pers.	*il/elle **se** lève*	*ils/elles **se** lèvent*

La place du pronom à l'impératif

*Couche-**toi** tard.*	*Ne **te** couche pas tard.*
*Levons-**nous**.*	*Ne **nous** levons pas.*
*Promenez-**vous**.*	*Ne **vous** promenez pas.*

Les verbes pronominaux au passé composé

Au passé composé, les verbes pronominaux se conjuguent avec l'auxiliaire *être*.

Le participe passé s'accorde avec le sujet.

*Nous **nous sommes amusés**.*

*Hier, elles **se sont levées** à 7 heures.*

SAVOIR DIRE

- **Exprimer des goûts**
  - J'adore les vacances avec les enfants !
  - Moi, la plage, je déteste ça.
  - On aime beaucoup la nature.
  - C'est vraiment beau !
  - À la plage, je m'ennuie.
- **Donner des conseils**
  - Calmez-vous, les filles, et arrêtez de rêver !
  - Amuse-toi bien.

ENTRAÎNEZ-VOUS

2 Conseils

Complétez avec les verbes donnés.

1 Tu es fatiguée, en ce moment. Alors … (se reposer) pendant les vacances.

2 Vous avez trop chaud ? Eh bien, … (se baigner) !

3 Bon, allez les filles, bon voyage ! Et puis, … (s'amuser) bien !

4 Tu t'ennuies ? Bah, … (se promener) sur la plage.

5 Votre train part à 6 heures du matin. Alors, … (se coucher) assez tôt ce soir.

3 Ne faites pas ça !

Imaginez cinq conseils donnés aux vacanciers. Utilisez les verbes suivants à l'impératif, comme dans l'exemple.

Exemple : *Ne vous baignez pas dans la piscine de l'hôtel. Allez à la plage !*

1 se lever
2 se coucher
3 s'habiller
4 s'acheter
5 se promener

4 Habitudes de vacances

Écrivez le texte au passé composé.

Cette année, en vacances, je me lève tous les jours à 10 heures du matin. L'après-midi, je me baigne, je me repose. Et le soir, avec Luc, nous nous promenons un peu sur la plage. Ensuite, on va dans un bar ou en boîte, on s'amuse et on se couche tard. Les vacances, quoi !

COMMUNIQUEZ

5 Alors, ces vacances ?

1 Écoutez et dites si l'opinion de chaque personne est positive ou négative.

2 Écoutez une nouvelle fois et relevez les expressions d'opinion.

6 Souvenirs de vacances

Racontez vos dernières vacances à votre voisin(e). Faites des commentaires.

PRONONCEZ

L'alternance [ɛ] et [ə] dans quelques verbes

1 Écoutez et répétez.

2 Dites quelles personnes du verbe ont un [ɛ].

a Tu te lèves. Vous vous levez.

b Nous nous promenons. Je me promène.

c Ils appellent. Nous appelons.

d Elle achète. Vous achetez.

e Il se lève. Nous nous levons.

Arrêt sur...

Les Français en vacances

ENQUÊTE

1
à la mer **53**

à la campagne **34**

à la montagne **20**

en ville **19**

2
en France **74**

à l'étranger **26**

3
en famille ou chez des amis **34**

en location **19**

en camping **17**

à l'hôtel **13**

en résidence secondaire **11**

autres **6**

4
en juillet ou en août **80**

pendant les autres mois **20**

DÉCOUVREZ

1 Quelles sont les questions ?
Lisez les résultats de l'enquête.
Retrouvez les six questions posées
aux Français.

2 Vrai ou faux ?
Lisez le texte. Corrigez
les affirmations fausses.

POINT DE VUE / par Michel Kling

Des vacances, oui… mais alors tranquilles !

Vous aimez être tranquille en vacances ?
Alors, ne partez pas en juin et en juillet.
Ou bien partez à la montagne, il n'y a pas
trop de monde. Eh oui ! les Français partent
principalement pendant ces deux mois de
l'année, en famille, et préfèrent aller à la mer :
c'est comme ça, ils détestent la campagne et
adorent la plage.
Autre conseil. Dormez à l'hôtel : les Français
dorment en général dans des campings…
Ils trouvent ça pratique et pas cher.
Et à l'étranger ? Vous ne voulez pas rencontrer trop de Français ? Là, pas trop
de problèmes : beaucoup d'entre eux restent en France pour les vacances.

5 pour retrouver ma famille **36**

pour le soleil **20**

pour la mer **17**

pour les activités culturelles **14**

pour les activités sportives **9**

pour voir des amis **6**

6 en famille **37**

à deux, en couple **24**

seul **12**

avec des amis **9**

en couple et avec des amis **6**

en groupe organisé **2**

autres **10**

Chiffres donnés en pourcentages. • Plusieurs réponses sont possibles.

D'après un sondage BVA pour le ministère du Tourisme, mai 2007.

COMMUNIQUEZ

 3 Et vous ?

Avec votre voisin(e), répondez aux questions posées aux Français sur leurs vacances. Justifiez vos réponses.

→ *En général, je vais en vacances à la mer parce que j'aime la plage, j'adore me baigner…*

 4 Portrait

À partir des réponses données, faites le portrait de votre voisin(e) à l'écrit.

→ *Il/Elle va en vacances…*

5 Devinettes

Lisez les portraits écrits par les autres étudiant(e)s et dites de qui il s'agit.

Reportage >
La région Languedoc-Roussillon

Savoir-faire

 1 Enquête téléphonique

Vous faites une enquête pour l'institut VBA et le magazine *Télé 7*.
Écoutez le dialogue et complétez la fiche.

Institut VBA   **Fiche réponse**

Enquête vacances janvier 2009

1 Sexe
☐ H   ☐ F

2 Âge
☐ 18/25   ☐ 36/50
☐ 26/35   ☐ 51 et +

3 Il/Elle passe ses vacances :
a ☐ en France
☐ à l'étranger
b ☐ à la mer
☐ à la montagne
☐ à la campagne
☐ en ville

4 Il/Elle part :
☐ seul(e)
☐ en couple
☐ avec des amis
☐ en famille

5 Il/Elle voyage :
☐ en train
☐ en avion
☐ en voiture

6 Il/Elle part :
☐ en juillet
☐ en août
☐ autre

7 Il/Elle dort :
☐ chez des amis ou dans sa famille
☐ à l'hôtel
☐ en location
☐ en camping
☐ autre

 2 Ça ne va pas !

En vacances à Cannes, vous avez loué un appartement pour votre famille et vous.
Quand vous arrivez à l'appartement, il ne vous plaît pas du tout.
Vous allez à l'agence et vous expliquez ce qui ne va pas.
Vous demandez un autre appartement.
Jouez la scène avec votre voisin(e).

3 Le temps des vacances

Lisez l'e-mail d'Adriana et répondez-lui.

De : adriana@wahoo.fr
À : salima_botero@beefree.com
Objet : Ah, les vacances !!!

Ma chère Salima,

Je suis en ce moment au bord de la mer, à Arcachon, avec Élisa et Pauline. Nous avons trouvé un petit hôtel très calme et très joli. Nous allons tous les jours à la plage à vélo et nous nous baignons souvent. Après la plage, on mange des glaces chez Ernest. Et, le soir, nous sortons au restaurant. Il fait chaud. On se repose. On adore ! 😊
Et toi, comment se passent tes vacances à Venise ? Est-ce qu'Angela est avec toi ? Est-ce que tu as trouvé un hôtel ? Qu'est-ce que tu fais tous les jours ? Tu vois, j'ai beaucoup de questions !

Je t'embrasse, ma Salima. À bientôt.

Adriana

 4 Conseillez-les.

Écoutez le message de Marc. Téléphonez-lui pour lui donner des conseils sur votre pays.

 Jouez la scène avec votre voisin(e).

5 Les vacances dans votre pays

Un magazine français vous demande d'écrire un petit article sur les habitudes de vacances des gens dans votre pays.
Sur le modèle de la page 84, écrivez un article de 100 mots environ.

Tout le monde en parle

Vous allez apprendre à...

rapporter des états et des habitudes passés.

rapporter un événement récent.

décrire les circonstances d'une action.

situer des événements dans le temps.

exprimer le but.

raconter des souvenirs.

faire le récit d'un fait divers.

raconter une première expérience.

Pour ...

DVD

Fiction > Un couple de personnes âgées redécouvre la ville de sa jeunesse...

Enfant de la ville

Quand il était petit...

Toutes les semaines, *Musik* demande à un fan de parler de son artiste préféré. Cette semaine, Thomas, fan de Grand Corps Malade, nous parle de l'enfance de l'artiste. Grand Corps Malade vient de sortir un nouvel album de slam, *Enfant de la ville*.

Thomas, vous aimez Grand Corps Malade ?
Oui ! J'adore cet artiste et je le connais bien.

Alors, parlez-nous de son enfance.
Il a passé une enfance heureuse, dans les années 1970 et 1980. C'était une belle époque pour lui.

Où est-ce qu'il habitait ?
Il habitait avec ses parents à Saint-Denis, au nord de Paris.

Cet *enfant de la ville*, c'était un peu lui, alors ?
Oui, c'est un peu lui, je pense.

Qu'est-ce qu'il voulait faire comme profession, quand il était petit ?
Il aimait beaucoup le foot, le tennis et surtout le basket. Alors, il voulait être prof de sport.

Quel type d'enfant est-ce qu'il était ?
Il était assez calme... sportif, bien sûr. Tous les jours, il passait des heures avec ses copains. Il écoutait beaucoup de chansons – Brassens, Renaud... – et il écrivait des textes... Il adorait aussi raconter des histoires.

Aujourd'hui, il s'appelle Grand Corps Malade. Mais, petit, est-ce qu'il avait un petit nom particulier ?
Oh ! oui !... Sa mère l'appelait « petit chaton bleu »... Parce qu'il a les yeux bleus.

DÉCOUVREZ

1 L'interview

1 Lisez le titre de l'article et l'introduction. Puis répondez aux questions.

a Qui est Grand Corps Malade ?

b Pourquoi est-ce que *Musik* interviewe Thomas ?

c De quoi Thomas parle-t-il dans l'interview ?

2 Écoutez l'interview et dites si c'est vrai, faux ou si on ne sait pas.  ▶ 46

Quand Grand Corps Malade était petit...

a il voulait être footballeur professionnel.

b il n'avait pas de copains.

c il adorait les chansons de Brassens.

d il lisait beaucoup.

e il habitait en ville.

f il avait un petit chat.

GRAMMAIRE

● **L'imparfait**

Formation : radical de la **première personne du pluriel au présent** + terminaisons : *-ais, -ais, -ait, -ions, -iez, -aient*.
nous venons → je venais   *nous buvons → je buvais*

	singulier	pluriel
1re pers.	je ven**ais***	nous ven**ions**
2e pers.	tu ven**ais***	vous ven**iez**
3e pers.	il/elle ven**ait***	ils/elles ven**aient***

* Ces 4 formes ont la même prononciation.

! **Pour être, le radical est** ét- → *j'étais, tu étais, il était...*

● **Le passé récent**

venir de + infinitif

*Elle **vient de** <u>sortir</u> un nouvel album.*
*Ils **viennent d'**<u>écrire</u> un nouveau texte.*

il ... (être) professeur de français. Tous les étés, avec ma sœur, nous ... (aller) chez mon grand-père et ma grand-mère en France. Ils ... (avoir) une maison à la campagne, à côté de Dijon. Avec ma sœur, nous ... (aimer) beaucoup cette maison.

4 Pourquoi ?

Associez les questions et les réponses.

1 Pourquoi est-ce que tu veux habiter en Italie ?
2 Pourquoi est-ce que vous ne voulez pas aller au restaurant avec eux ?
3 Pourquoi est-ce qu'ils veulent se reposer ?
4 Pourquoi est-ce que tu ne veux plus aller à l'école en bus ?
5 Pourquoi est-ce qu'elle veut être actrice ?

a Parce que je viens d'avoir un vélo à Noël.
b Parce qu'on vient de manger.
c Parce que son frère vient d'entrer dans une école de théâtre.
d Parce que je viens de rencontrer un garçon là-bas.
e Parce qu'ils viennent de faire douze heures d'avion.

SAVOIR DIRE

● **Rapporter un événement récent**
  Il vient de sortir un nouvel album.

● **Rapporter des états passés**
  Il était assez calme et sportif.

● **Rapporter des habitudes passées**
  Tous les jours, il passait des heures avec ses copains.

ENTRAÎNEZ-VOUS

2 Qu'est-ce qu'ils viennent de faire ?

Utilisez *venir de* + infinitif.
Exemple : *Les enfants ! Faites attention ! Je **viens de faire** le ménage.*

1 Ah ! M. Duval n'est plus là, madame ; il...
2 Tu sais, on change d'appartement ; on...
3 Allô ! Lucie, je suis à la gare ; mon train...
4 Ne donne pas de Coca aux enfants ! Ils...
5 – Et vous, qu'est-ce que vous venez de faire ?
   – Nous...

3 Souvenirs d'enfance

Conjuguez les verbes à l'imparfait.
Quand j'... (être) petit, nous ... (habiter) au Japon avec mes parents. J'... (aller)dans une école française, à Tokyo. Mon père ... (travailler)à l'Institut de langues,

---

COMMUNIQUEZ

5 Micro-trottoir

Écoutez et répondez aux questions.
Qu'est-ce que les personnes voulaient faire quand elles étaient petites ? Pourquoi ?

6 À vous !

Avec votre voisin(e), répondez aux questions suivantes.
Qu'est-ce que vous vouliez faire plus tard, quand vous étiez petit(e) ? Quel type d'enfant est-ce que vous étiez ? Où est-ce que vous habitiez ?

PRONONCEZ

Opposer consonnes sourdes et sonores
Écoutez et répétez.

Fait divers

– Sud Radio… Il est midi. Les nouvelles du jour. Michel Rebourd.
– Bonjour. Un terrible accident vient de se passer sur l'autoroute A9, à côté de Nîmes, entre un camion et cinq voitures : il y a onze blessés. Sur place, notre journaliste, Jérôme Duchamp…
– Oui, bonjour, Michel. Alors voilà, je viens d'arriver sur l'autoroute A9, sur les lieux de l'accident et j'ai devant moi Aline Besson. Quand l'accident est arrivé, Mme Besson traversait, à vélo, un pont au-dessus de l'autoroute. Et elle a tout vu. Alors, madame, qu'est-ce qui s'est passé exactement ?
– Eh bien… Comme tous les matins, je traversais le pont et alors… j'ai vu un camion se coucher sur la route. Des voitures suivaient le camion.

Elles ont voulu s'arrêter mais elles roulaient trop vite, je pense. Et, en plus, il venait de pleuvoir, la route était glissante…
Une première voiture a heurté le camion, et puis une deuxième, une troisième… J'étais terrifiée. Vraiment !

DÉCOUVREZ

1 Qu'est-ce qui s'est passé ? ▶47

1 Quels sont les faits ? Écoutez le reportage radio et répondez aux questions.

a Où l'accident s'est-il passé ?
b Il y a eu combien de blessés ?
c Qu'est-ce qui est arrivé au camion ?
d Qu'est-ce que les voitures ont voulu faire ?
e Et qu'est-ce qu'elles ont fait ?

2 Quelles sont les circonstances de l'accident ? Écoutez à nouveau le reportage et répondez aux questions.

a Pourquoi est-ce que les voitures n'ont pas pu s'arrêter ?
b Pourquoi est-ce que Mme Besson a vu l'accident ?

2 Passé composé ou imparfait ?

Quand vous répondez aux questions de l'activité 1, quel temps utilisez-vous pour :
1 décrire les faits ?
2 décrire les circonstances ?

GRAMMAIRE

● **Les emplois du passé composé et de l'imparfait**

Le passé composé
Pour rapporter des événements et actions passés :
*Une voiture **a heurté** le camion. Elle **a** tout **vu**.*

L'imparfait
Pour décrire :
– les circonstances ou les causes d'une action :
*Les voitures **roulaient** trop vite.*
*La route **était** glissante.*

– une habitude :
*Comme tous les matins, je **traversais** le pont.*

– un état d'esprit :
*J'**étais** terrifiée !*

Le passé composé et l'imparfait
*Elle **traversait** le pont quand l'accident **est arrivé**.*
*Il **a pris** sa voiture parce qu'il **pleuvait**.*

SAVOIR DIRE

● **Rapporter des événements passés**
J'ai vu un camion se coucher sur la route.

● **Décrire les circonstances de l'action**
Quand l'accident est arrivé, la route était glissante.

● **Rapporter des états passés**
J'étais terrifiée.

ENTRAÎNEZ-VOUS

3 Mais pourquoi ?

Associez les phrases.

1 La voiture n'a pas pu s'arrêter ;
2 Il n'a pas pris son chien avec lui ;
3 Ils n'ont pas pu entrer dans la salle ;
4 Elle a acheté un appartement ;
5 J'ai retrouvé son sac ;

a l'autre était trop petit.
b c'était interdit dans l'hôtel.
c la route était glissante.
d il était chez moi.
e ils n'avaient pas leurs billets.

4 Passé composé ou imparfait ?

Conjuguez les verbes au passé composé ou à l'imparfait.

1 Hier soir ? Non, je … (ne pas aller) au cinéma avec elles, j'… (avoir) trop de travail.
2 Nous … (faire) un footing toutes les semaines et, un jour, nous … (arrêter).
3 Quand tu … (téléphoner), j'… (être) sous la douche.
4 Nous … (rentrer) très tôt ce matin et vous … (dormir).

5 Avant…

Proposez quatre phrases sur le modèle suivant.

→ *Avant, j'**habitais** à Paris. Et un jour, j'**ai trouvé** un travail à Montréal. Avant, … Et un jour, …*

COMMUNIQUEZ

6 Pas tous d'accord !

Écoutez les trois témoignages et regardez le dessin. Quel témoignage est correct ?

7 Au voleur !

On vous a volé votre sac/votre voiture… Racontez à votre voisin(e) ce qui s'est passé et les circonstances du vol. Votre voisin(e) vous pose des questions.

PRONONCEZ

A. Opposer [f] et [v]
Écoutez et dites si vous entendez [f] ou [v].
Puis répétez les deux phrases.

B. Opposer [ʃ] et [ʒ]
Écoutez et dites si vous entendez [ʃ] ou [ʒ].
Puis répétez les phrases.

LEÇON 31

Ma première histoire d'amour

Aujourd'hui, vous le savez tous, c'est le 14 février, la Saint-Valentin, la fête de l'amour, de tous les amoureux ! Ah ! l'amour ! Mais est-ce que vous vous souvenez de votre première histoire d'amour ?

1 Ma première histoire d'amour ? Oh ! là, là !… Ah ! oui, j'avais quinze ans et j'étais en vacances en Irlande pour apprendre l'anglais. Il s'appelait Tom, il était grand, il était blond… il était très beau !

2 Ah ! oui, je me souviens très bien. Aujourd'hui, c'est ma femme. Nous nous sommes rencontrés dans le train Paris-Bordeaux. C'était en 2000, j'avais vingt ans. Elle, elle en avait vingt-deux. Et notre premier bébé est né cinq ans plus tard.

3 J'avais huit ans. Il s'appelait Mathieu et, dans la classe, c'était mon voisin. J'ai été très amoureuse de lui de… 94 à… 96. Eh oui ! jusqu'en 96 ! Deux ans ! Après, il est allé dans une autre école…

4 Mon premier amour ? Ah ! oui, bien sûr ! J'allais tous les ans chez ma grand-mère pour passer les vacances. Mais, à partir de seize ans, je suis parti avec des copains, à la mer. Et là, un été, j'ai rencontré Lou… C'était en 85.

DÉCOUVREZ

1 Je me souviens… 🔊 ▸48

1 Écoutez l'introduction du reportage et répondez aux questions.

a Quelle est la date du reportage ?

b De quelle fête parle-t-on ?

c Quelle est la question posée par le journaliste ?

2 Écoutez le reportage et complétez le tableau (on ne peut pas toujours répondre aux questions).

→ *Leur première histoire d'amour…*

	1	2	3	4
C'était en quelle année ?	…	…	…	…
Où s'est passée la rencontre ?	…	…	…	…
Ils avaient quel âge ?	…	…	…	…

GRAMMAIRE

● **Situer dans le temps**

Le moment	La durée
le 14 février *en 2000* *cinq ans **plus tard*** *à partir de seize ans*	*de 1994 à 1996* *jusqu'en 96*

● **Le but**

pour + infinitif
*J'étais en Irlande **pour** <u>apprendre</u> l'anglais.*

● **Les participes passés**

être : été — *j'ai été*
vivre : vécu — *j'ai vécu*
naître : né — *je suis né(e)*

SAVOIR DIRE

● **Situer des événements dans le temps**
– C'est le 14 février.
– C'était en 2000.
– Notre premier bébé est né cinq ans plus tard.

● **Exprimer le but**
– J'allais chez ma grand-mère pour passer les vacances.

2 C'était quand ?

Écoutez à nouveau le reportage et complétez.

1 C'est … 14 février.
2 C'était … 2000.
3 Notre premier bébé est né cinq ans…
4 J'ai été amoureuse de lui … 92 … 94.
5 Eh oui, … 96 !
6 … seize ans, je suis parti avec des copains, à la mer.

ENTRAÎNEZ-VOUS

3 La vie amoureuse de Rodin

À partir des indications suivantes, résumez la vie amoureuse du sculpteur Auguste Rodin. Utilisez *le, en, de… à, jusqu'en, à partir de, … plus tard.*

12 novembre 1840	Il naît à Paris.
1864	Il rencontre Rose Beuret.
1864-1917	Ils vivent ensemble.
1866	Ils ont un enfant.
1883	Il rencontre Camille Claudel.
1883-1898	Ils ont une histoire d'amour.

→ *Auguste Rodin est né…*

4 C'est évident !

Imaginez la réponse. Utilisez *pour* + infinitif.

1 Pourquoi est-ce qu'elle est partie en Afrique ?
2 Pourquoi est-ce que tu as téléphoné ?
3 Pourquoi est-ce que vous venez à vélo et pas en voiture ?
4 Pourquoi est-ce qu'il va dans une école de langues ?
5 Pourquoi est-ce que tu vas au supermarché ?

COMMUNIQUEZ

5 Le casting

Une jeune actrice se présente pour un casting. Écoutez l'enregistrement et relevez toutes les dates. Dites à quel événement ou à quelle action elles correspondent.

6 La première fois…

Racontez à votre voisin(e) :

1 votre première histoire d'amour ;
2 vos premières vacances ;
3 votre premier voyage en train ou en avion ;
4 votre premier jour d'école.

PRONONCEZ

Opposer [i], [y] et [u]

Écoutez et dites si vous entendez [i], [y] ou [u].

1 Il est venu chez vous ?
2 Elle a mis une jupe rouge.
3 Vous avez lu le livre ?
4 Elle est partie sur la route.
5 Il a mis un blouson neuf.

La 2CV...

Quatre roues sous un parapluie

Elle s'est d'abord appelée la TPV, la Toute Petite Voiture. Eh oui ! Et puis, plus tard, la 2CV[1]. Aujourd'hui, en France, tout le monde l'appelle la « deudeuche ». Elle est célèbre dans tous les pays du monde. Mais est-ce que vous connaissez son histoire ?

Tout a commencé en 1935. Pierre Boulanger, le directeur de Citroën, voulait sortir une nouvelle voiture, petite et pas chère : il a alors demandé de fabriquer « quatre roues sous un parapluie »...

Quatre ans plus tard, le 3 septembre 1939, la première 2CV est née... et, le 4 septembre, chez Citroën, on a tout arrêté ! C'était la guerre...

Finalement, on a présenté la nouvelle Citroën aux Français le 7 octobre... 1948. Et, à partir de là, la « deudeuche » a tout fait : elle a voyagé dans le monde, elle a travaillé pour la poste, elle a été

...et autres symboles !

DÉCOUVREZ

1 De quoi ça parle ?

Lisez le titre et l'introduction de l'article.
Dites quel est le sujet de l'article.

2 Repérages

Lisez l'article et :

1 relevez tous les noms donnés à la 2CV ;
2 relevez toutes les indications de temps.

3 En résumé

Complétez le tableau ci-dessous sur le modèle suivant.

Quand ?	Quoi ?
1 en 1935	*Pierre Boulanger a demandé de fabriquer une petite voiture pas chère.*
2 ...	
3 ...	
4 ...	
5 ...	
6 ...	

taxi… et elle a fait du cinéma ! Célèbre. Elle était célèbre !

Jusqu'en 1990… Parce que, le 27 juillet 1990, on a arrêté de fabriquer la petite Citroën préférée des Français…

Et aujourd'hui ? Eh bien, aujourd'hui, il existe un club, le Club des Amis de la 2CV[2]. Et, tous les ans, ces amis de la « deudeuche » se rencontrent en France, en Finlande, en Hollande mais aussi dans d'autres pays du monde.

1. Prononcer : « la deux-chevaux ».
2. www.clubamis2cv.org

7

8

9

10

COMMUNIQUEZ

4 Les symboles de la France

1 Observez les photos ❶ à ❿ et associez-les à un des mots suivants.

a le TGV
b Marianne
c la tour Eiffel
d la baguette
e la haute couture

f le champagne
g le camembert
h le tour de France
i le croissant
j le coq

2 Avec votre voisin(e), choisissez vos trois symboles de la France. Comparez avec les autres groupes.

5 Moi, la tour Eiffel

Utilisez les informations ci-dessous et, à la manière du texte sur la 2CV, écrivez un petit article sur la tour Eiffel.

• **Née le** 31/03/1889
• **Père :** Gustave Eiffel
• **Coût de la construction :** 1 200 000 €
• Trois étages, grande, brune, célèbre
• Utilisée pour la radio, la télévision

Reportage >
Dans les années 1950

Savoir-faire

1 Blog

Vous venez de créer un blog sur votre famille. Racontez sur ce blog le jour de votre mariage :
où et comment s'est passée la journée ? Quelles personnes participaient au mariage ?
Quel temps faisait-il ce jour-là ?…

Mon
mariage

Je me souviens, c'était en 2003...

Grenoble,
le
6 septembre
2003.

2 Amis d'enfance

Vous avez retrouvé un(e) ami(e) d'enfance
sur trombi.com. Vous vous êtes donné
rendez-vous dans un café pour parler
de votre vie actuelle et raconter ce que
vous avez fait entre le lycée et aujourd'hui.
Jouez la scène avec votre voisin(e).

3 Faits divers

Écoutez le reportage radio.
Racontez à votre voisin(e) ce qui s'est passé.

4 Fête du cinéma

TROMBI.COM
Retrouvez vos amis anciens élèves

Que sont devenus
vos amis d'enfance ?

Ciné Cinéma

Vous voulez gagner des places
de cinéma ?
Alors, pour la Fête du cinéma,
racontez-nous* votre premier
souvenir de film au cinéma.

* en 150 mots maximum

Lisez le document et envoyez votre texte
au magazine. Racontez où, quand, avec
qui cela s'est passé et quel était le film.

On verra bien !

Vous allez apprendre à...

exprimer une probabilité ou une certitude.

exprimer une intention.

situer dans le temps.

faire des hypothèses.

Pour ...

parler du temps qu'il fera.

prendre un rendez-vous.

évoquer des projets et parler de l'avenir.

DVD

Fiction > Des lycéens discutent à la terrasse d'un café...

LEÇON 33

Beau fixe

– Tu peux allumer la radio, s'il te plaît ?
  Je vais en Bretagne demain et je veux
  savoir quel temps il fera.

« … Et maintenant, la météo de demain.
Florence Arnaud.

… Bonjour ! Vous habitez à Strasbourg ou à
Lille ? Eh bien, demain, sortez vos parapluies !
Eh oui, il pleuvra toute la journée à l'est et au
nord de la France. À l'ouest et au centre du
pays, vous aurez du soleil le matin mais l'après-
midi, attention : des nuages arriveront par la
Bretagne et vous aurez peut-être un peu de
pluie. Au sud, vous avez de la chance :
le soleil brillera certainement toute la journée.
Pour les températures, dans l'après-midi,
il fera 15 degrés à Lille, 17 à Paris, 20 à Brest
et à La Rochelle, 18 à Saint-Étienne et 23 à
Marseille. Bonne journée ! »

– Et voilà ! Oh non !
– Mais ne t'inquiète pas ! Tu verras, je suis
  certain qu'il ne pleuvra pas.
– Tu crois qu'il fera beau, toi ?
– Mais oui, j'en suis sûr…

DÉCOUVREZ

1 Quel temps fera-t-il ? ▶49

Écoutez le dialogue et regardez les deux cartes
de France. Dites quelle carte correspond au temps
décrit à la radio.

2 Repérages

1 Repérez les trois villes suivantes sur la carte
de France (p. 144).

a Lille

b Brest

c Marseille

Écoutez à nouveau le dialogue et dites quel temps
il fera demain dans ces villes.

GRAMMAIRE

● Le futur simple

Formation : infinitif + terminaisons : -ai, -as, -a, -ons, -ez, -ont.

arriver → j'arriverai   finir → je finirai
apprendre → j'apprendrai

	singulier	pluriel
1re pers.	j'arriverai	nous arriverons
2e pers.	tu arriveras	vous arriverez
3e pers.	il/elle arrivera	ils/elles arriveront

Futurs irréguliers

être : je serai, tu seras, il/elle sera, nous serons…

avoir : j'aurai   faire : je ferai   aller : j'irai
pouvoir : je pourrai   vouloir : je voudrai   voir : je verrai
savoir : je saurai   pleuvoir : il pleuvra

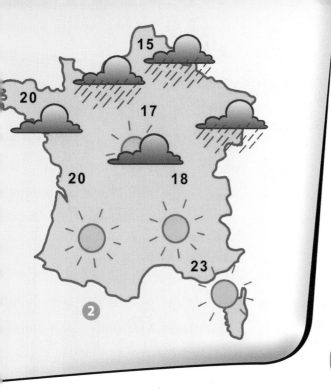

2 Lisez le dialogue et relevez les verbes utilisés pour faire des prévisions météorologiques.

À quel temps sont-ils :

a au présent ?

b au passé composé ?

c au futur simple ?

ENTRAÎNEZ-VOUS

3 Est-ce qu'ils le feront ?

Conjuguez les verbes au futur simple.

1 Est-ce que vous … (avoir) le temps de faire les courses ?

2 Ils … (arriver) à la gare avant nous.

3 Je suis sûr qu'elle … (faire) bien ce travail.

4 Mais oui, tu … (être) amoureuse un jour, ne t'inquiète pas.

5 Nous … (finir) certainement très tard.

SAVOIR DIRE

● Faire une prévision

– Il pleuvra toute la journée à l'est et au nord.

– Vous aurez du soleil.

– Il fera chaud/froid à Lille.

● Exprimer une probabilité

– Vous aurez peut-être un peu de pluie.

– Je crois qu'il fera beau.

● Exprimer une certitude

– Je suis certain qu'il ne pleuvra pas.

– Il fera beau, j'en suis sûr.

– Le soleil brillera certainement toute la journée.

4 Tu crois ?

Répondez aux questions par une probabilité ou une certitude.

1 Tu crois qu'ils viendront ?

2 Tu crois que je pourrai faire ce travail ?

3 Tu crois qu'elle dira oui ?

4 Tu crois que nous aurons le temps ?

5 Tu crois que vous serez à 14 heures au cinéma ?

COMMUNIQUEZ

5 Vous en êtes sûr ?

Écoutez et dites si c'est peu probable, probable ou certain.

6 Bulletin météo

Avec votre voisin(e), dessinez la carte de la météo de votre pays, pour demain.

À deux, présentez la météo à la classe.

PRONONCEZ

Les consonnes doubles

Écoutez et répétez.

1 Ils apprennent la grammaire.

2 Il a trouvé l'appareil par une annonce.

3 Ils attendent le bulletin météo.

4 Corrigez vos erreurs.

5 Classez les mots en deux colonnes.

Projets d'avenir

– Allô !
– Bonjour madame, c'est Justine. Est-ce que Sophie est là ? Je peux lui parler ?
– Oui, bien sûr… Sophie, c'est Justine !… Elle arrive tout de suite !
– Allô ! Justine ?
– Salut Sophie ! Bravo pour ton bac !
– Merci. Toi aussi, félicitations !
– Alors ? Qu'est-ce que tu vas faire ? Tu as des projets ?
– Ah ! oui, bien sûr… Je vais d'abord me reposer ! Je pars demain en vacances au Maroc… Deux semaines.
– Au Maroc ! Ben, ce n'est pas comme ici ! Là, tu es sûre qu'il fera beau !… Et après ?
– Après ? Bien… j'essaierai de trouver un travail. Ce n'est pas facile ! Peut-être en Corse pour commencer. Mon frère ouvre une crêperie dans un ou deux mois… Enfin, je ne sais pas. On verra… Et toi ?

– Eh bien, moi, je n'ai pas d'argent, donc je ne prends pas de vacances ! Enfin, pas tout de suite, quoi ! Et j'ai trouvé un boulot pour l'été. Je commence à travailler la semaine prochaine. Je vais donner des cours de tennis au club Océan. Et puis, en octobre, j'entre à la fac. Et on pourra peut-être se voir en septembre ? Je serai à la maison.
– Bon, eh bien, d'accord. On s'appelle, alors ! Je t'embrasse.
– Moi aussi. On se rappelle bientôt !

DÉCOUVREZ

1 Qu'est-ce qu'elles vont faire ? ► 50

1 Écoutez le dialogue. De quoi parlent les deux jeunes filles (deux réponses) ?

a De leurs projets pour l'été.   **c** De leurs études.
b De leur vie dans dix ans.   **d** De leurs dernières vacances.

2 Écoutez à nouveau et dites quels sont les projets de Sophie et de Justine.

2 Repérages

Lisez le dialogue.
1 Relevez les différents temps utilisés pour parler du futur.
2 Repérez les indications de temps.
➜ *D'abord…*

GRAMMAIRE

● **L'expression du futur**

Avec le présent
Je pars demain au Maroc.
Ils rentrent dans deux jours.
Tu vas au cinéma ce soir ?

Avec le futur proche
Je vais donner des cours de tennis.

Avec le futur simple
Après, j'essaierai de trouver un travail.

SAVOIR DIRE

● **Parler de ses intentions et de ses projets**
– Je vais d'abord me reposer.
– J'essaierai de trouver un travail.

● **Situer dans le temps**
– Je commence la semaine prochaine.
– Mon frère ouvre une crêperie dans un ou deux mois.
– On pourra peut-être se voir en septembre ?
– Elle arrive tout de suite.
– On se rappelle bientôt.

4 Qu'est-ce qu'ils ont l'intention de faire ?

Dites quels sont leurs projets, comme dans l'exemple.

Exemple : *Téléphoner à Justine – faire les courses.*
→ *Je **vais** d'abord **téléphoner** à Justine et, après,*
*je **ferai** les courses.*

1 Dîner dans une crêperie – aller au cinéma. Nous…
2 Se reposer – finir son travail. Elle…
3 Aller à la banque – passer à la poste. Tu…
4 Lire le journal – sortir le chien. Je…

COMMUNIQUEZ

5 Tu seras là ?

Écoutez le dialogue et répondez aux questions.

1 Quand est-ce que Pierre et Philippe vont dîner
ensemble ?
2 Pourquoi est-ce qu'ils ne peuvent pas se voir avant ?

6 À vous !

Dites à votre voisin(e) quels sont vos projets :
1 pour demain ;
2 pour le week-end ;
3 pour les prochaines vacances ;
4 pour l'année prochaine.

ENTRAÎNEZ-VOUS

3 C'est pour quand ?

Complétez les phrases avec : *tout de suite – bientôt –*
ce soir – dans une semaine – l'année prochaine.

Exemple : *Ah, je suis désolée, M. Garnier n'est pas là*
*aujourd'hui. Mais il sera là **demain**.*

1 On peut dîner ensemble ce midi ou … ?
2 Nous allons rester deux ou trois jours chez mes
parents mais, …, pas de problème : nous serons
à la maison.
3 Ne t'inquiète pas ! Ils vont … arriver.
4 Elle n'a pas fini d'écrire son nouveau livre ; il sortira
seulement … .
5 Excusez-moi, madame, j'arrive … .

PRONONCEZ

Consonne + [R]

1 Écoutez et dites si vous entendez [pR] ou [bR],
puis répétez le mot.

2 Écoutez et dites si vous entendez [fR] ou [vR],
puis répétez le mot.

Envie de changement

– Alors, qu'est-ce que tu en penses ?

– Ouais… J'aime bien. Il est grand, il est clair… et puis, il est calme ; ça, c'est bien ! Mais, si on l'achète, il faudra faire des travaux. Regarde, tu as vu la couleur des murs dans les chambres ?

– La couleur des murs, ce n'est pas un problème : un peu de peinture et puis c'est bon !

– Oui, d'accord, mais le salon et la salle à manger sont un peu petits, non ?

– Tu sais, si on supprime le mur entre ces deux pièces, ça fera un grand salon… On pourra facilement mettre tous nos meubles.

– C'est vrai, tu as raison. Et quand on aura un peu d'argent, on pourra peut-être installer une cheminée, là dans le coin ?

– Et pour la cuisine et la salle de bains ?

– Écoute, ça, on verra plus tard ! On changera peut-être la cuisine dans un an ou deux mais pas tout de suite ! Ça va faire beaucoup de dépenses.

– Bon, alors, qu'est-ce qu'on fait ? On l'achète ou pas ?

DÉCOUVREZ

1 Que vont-ils faire ? ▶51

1 Écoutez les deux premières phrases du dialogue et répondez aux questions.

a Qui parle ?

b Où se trouvent-ils ?

c Que font-ils ?

d Quel est le sujet de leur discussion ?

2 Écoutez tout le dialogue et dites quels sont les travaux envisagés :

a en premier ;

b plus tard.

GRAMMAIRE

● **La condition et l'hypothèse**

si + présent / futur

Si on *supprime* le mur entre ces deux pièces, ça *fera* un grand salon.
Si on n'*aime* pas la couleur des murs, on la *changera*.

! Autres futurs irréguliers : *il faut → il faudra, voir → on verra.*

● **Le moment**

quand + futur

Quand on *aura* un peu d'argent, on pourra peut-être installer une cheminée.
Quand on *pourra*, on mettra de nouvelles fenêtres.

4 Trouver des excuses

Répondez négativement et trouvez une excuse, comme dans l'exemple.

Exemple : Si tu achètes cet appartement, tu changeras
la salle de bains ?
➔ Non, je ne la changerai pas. Elle est très bien./
Ça va coûter trop cher./Je changerai la cuisine.

1 Si elle vous invite, vous irez à la fête ?
2 S'il est là ce soir, il pourra téléphoner ?
3 Si on a le temps demain, on ira au cinéma ?
4 Si vous allez à Paris, vous emmènerez les enfants ?
5 S'il fait beau, nous ferons du vélo ?

SAVOIR DIRE

● **Exprimer une condition**
Si on l'achète, il faudra faire des travaux.

● **Parler de ses intentions et de ses projets**
Quand on aura un peu d'argent, on pourra
peut-être installer une cheminée.

ENTRAÎNEZ-VOUS

2 D'accord, mais quand ?

Imaginez la réponse.

Exemple : Maman, je peux partir en vacances avec mes copains ?
➔ Tu pourras partir en vacances avec tes copains
quand tu seras grand.

1 Alors, on achète cette maison ?
2 Je peux commencer à manger ?
3 Tu ne vas plus au cinéma ?
4 Papa, on peut prendre ta voiture ?

3 Et si… et si…

Associez les phrases.

1 Si vous supprimez ce mur,
2 Si, un jour, nous avons des enfants,
3 S'il achète cet appartement,
4 Si je pars en vacances,

a il faudra changer d'appartement.
b vous pourrez habiter chez moi en juillet.
c il changera la couleur des murs.
d cela fera une grande pièce.

COMMUNIQUEZ

5 À quelle condition ?

1 Écoutez et relevez les questions posées au début de chaque dialogue.

2 Écoutez à nouveau et répondez.

a Dialogue 1 : Quand et à quelle condition iront-ils
au cinéma ?
b Dialogue 2 : À quelle condition partiront-ils
en vacances ?
c Dialogue 3 : À quelle condition iront-ils à la fête ?

6 La maison de mes rêves

**Faites la description de la maison de vos rêves
à votre voisin(e).**

➔ Si je peux, plus tard, j'achèterai une maison au bord
de la mer, une maison avec une piscine…

PRONONCEZ

Les voyelles arrondies

**Sept voyelles sont prononcées avec la bouche arrondie
en français : [y], [u], [ø], [œ], [o], [ɔ] et [ə].
Prononcez puis écoutez.**

1 Tu es heureux ?
2 On peut se retrouver au port à deux heures.
3 Tout est bon chez eux.
4 Tu es venu au bureau pour me voir ?
5 Il faut d'abord trouver un jour et une heure
pour le rendez-vous.

Arrêt sur...

Le pain, mangez-en !

Si vous ne mangez pas de pain, un jour, i

Le saviez-vous ?

La boulangerie est le commerce préféré des Français.

- **74 %** des pains achetés sont des baguettes !

- **83 %** des Français mangent du pain tous les jours.

- **34 000** C'est le nombre de boulangeries en France, aujourd'hui.

Le pain...

En 1900, les Français mangeaient 328 kg de pain par personne et par an. Aujourd'hui, ils en mangent 58 kg en moyenne. Et demain ?

Si vous ne mangez pas de pain, un jour, peut-être, il n'y aura plus de boulangers et vos enfants ne connaîtront pas le goût fantastique de la baguette.

n'y en aura plus.

DÉCOUVREZ

1 Qu'est-ce qui se passera si… ?

1 Regardez le document ❶.

C'est : **a** une petite annonce.

b un article.

c une publicité.

2 Lisez le document ❶ et répondez aux questions.

a Quel est le message principal de ce document ?

b Quelle différence y a-t-il entre 1900 et aujourd'hui ?

c Si nous ne mangeons plus de pain, quelles seront les conséquences ?

3 Lisez le document ❷ puis cachez-le.
Dites à quoi correspondent les nombres suivants.

a 74   **b** 83   **c** 34 000

2 Et quoi encore ?

Imaginez d'autres conséquences possibles.

→ *Si vous ne mangez pas de pain, il n'y en aura plus/ vos enfants ne connaîtront pas le goût de la baguette…*

3 Demain, ce sera comment ?

Lisez les phrases ci-dessous et complétez la liste par écrit.

Un jour peut-être…

tout le monde parlera la même langue,

il y aura une télé dans toutes les pièces de la maison,

on n'ira plus au cinéma,

il n'y aura plus d'écoles,

dans tous les pays du monde, il y aura assez à manger…

COMMUNIQUEZ

4 Qu'en pensez-vous ?

Lisez les phrases de l'activité 3 et, avec votre voisin(e), dites si c'est peu probable, probable ou certain.

Exemple : *Je crois que tout le monde parlera la même langue, un jour. Tu verras.*

→ *Eh bien, moi, je suis sûr(e) que non. Ça n'arrivera pas…*

Reportage > Les petits boulots

Savoir-faire

 1 Projets

Lisez l'e-mail. Écrivez une réponse à Andreas.

De : andyjonas@wahoo.ch

À : alessandro15@befree.it

Objet : Mes projets

Salut Alessandro,

C'est bon. J'ai terminé hier mon travail à Antibes. C'était une bonne expérience mais c'est bien d'arrêter. Je vais rentrer chez mes parents et me reposer. Je commence dans deux semaines un cours de français, en France. Je vais rester deux mois là-bas, en octobre et en novembre. Après, je commencerai à chercher du travail en France ou peut-être en Suisse. On verra. Si je trouve un travail à Lausanne ou à Genève, on pourra se voir le week-end. Ce sera bien !

Et toi, est-ce que tu as arrêté ton travail à Bergame ? Qu'est-ce tu vas faire maintenant ? Est-ce que tu vas rester en Italie ou est-ce qu'on pourra se voir bientôt ?

J'attends de tes nouvelles.

Andreas

2 Rendez-vous

Vous appelez un(e) ami(e) pour le/la voir demain. Vous travaillez tous/toutes les deux de 9 heures à 12 heures et de 14 heures à 17 heures.
Avec votre voisin(e), choisissez chacun un emploi du temps (A ou B).
Jouez le dialogue au téléphone.

A

12 h 30	Rendez-vous chez le médecin
13 h 00	Déjeuner avec maman
17 h 00	Aller chercher les enfants à l'école
18 h 00	Courses au supermarché
21 h 00	Dîner chez les Maurin

B

12 h 00	Déjeuner
13 h 00	Magasins
18 h 30	Cours de yoga
20 h 00	Dîner en famille

 3 Horoscope

a Écoutez le document et associez chaque signe à un thème.

Bélier
21 mars-20 avril

Taureau
21 avril-20 mai

Gémeaux
21 mai-21 juin

Cancer
22 juin-22 juillet

Lion
23 juillet-22 août

Vierge
23 août-22 septembre

2. Amour

1. Voyage

3. Travail

4. Argent

5. Lieu de vie

6. Repos

b Radio Luna vous demande de présenter l'horoscope. Sur le modèle du document sonore, écrivez votre texte pour demain.

Puis lisez votre message à la classe.

Évaluation 3

Compréhension de l'oral

OBJECTIF Comprendre des goûts et des préférences

Écoutez deux fois le document et répondez aux questions.

1 La première personne aime peindre.
   a Vrai.
   b Faux.
   c On ne sait pas.

2 Qu'est-ce qu'elle déteste ?

3 La deuxième personne est sportive.
   a Vrai.
   b Faux.
   c On ne sait pas.

4 Elle aime la lecture.
   a Vrai.
   b Faux.
   c On ne sait pas.

5 Qu'est-ce qu'elle déteste ?

6 Quel sport aime la troisième personne ?

7 La troisième personne déteste la pluie.
   a Vrai.
   b Faux.
   c On ne sait pas.

8 Elle déteste Paris.
   a Vrai.
   b Faux.
   c On ne sait pas.

9 La quatrième personne adore jouer au tennis.
   a Vrai.
   b Faux.
   c On ne sait pas.

10 Qu'est-ce qu'elle déteste ?

Production orale

OBJECTIF 1 Évoquer des projets

Présentez vos projets d'avenir à votre voisin(e).

OBJECTIF 2 Exprimer une opinion et contester

Vous êtes en vacances à la campagne, au club Utopia.
Vous demandez à la réception des informations sur les activités proposées.
Mais il y a toujours un problème : elles ne sont plus proposées, elles coûtent cher, etc.
Jouez la scène avec votre voisin(e).

Évaluation 3

Compréhension des écrits

OBJECTIF **Comprendre un message simple**

Vous venez de recevoir ce message. Répondez aux questions.

Salut Jade,

Le 15 janvier, je vais avoir 18 ans. Pour fêter ça, je fais une fête à partir de 20 heures, samedi soir, dans notre nouvelle maison. Est-ce que tu peux venir ? Et est-ce que tu peux apporter un gâteau ?

Voici ma nouvelle adresse : 3, rue Aristote
49000 Angers

À samedi !
Vanessa

1 Ce message est :
   a un e-mail.
   b une carte d'invitation.
   c une carte d'anniversaire.

2 Vanessa a eu 18 ans samedi dernier.
   a Vrai.
   b Faux.
   c On ne sait pas.

3 Où va se passer la fête ?

4 Regardez les trois images. Qu'est-ce que Jade doit apporter ?

Production écrite

OBJECTIF **Raconter des événements passés**

Vous venez de changer de maison ou d'appartement et vous avez fait des travaux.
Vous écrivez un e-mail à un(e) ami(e) pour lui parler de votre nouveau logement et pour lui raconter comment se sont passés les travaux. Vous l'invitez à venir vous voir. (40 à 50 mots)

Vocabulaire thématique

Ces listes de vocabulaire regroupent les principaux mots nouveaux d'une unité par dominantes thématiques, afin d'en faciliter la mémorisation et de favoriser un apprentissage actif du vocabulaire.
(Pour un recensement alphabétique complet et par leçon, voir le lexique multilingue p. 133-142.)

UNITÉ 1

ACTIVITÉS
une profession
un(e) assistant(e)
un(e) boulanger/boulangère
un(e) dentiste
un(e) directeur/directrice
un(e) étudiant(e)
un(e) photographe
un professeur
un(e) secrétaire
un(e) serveur/serveuse

ALIMENTATION
un café
un thé

CARACTÉRISATION
un bébé
un garçon – une fille
un homme – une femme
un nom
un prénom

allemand(e)
belge
chinois(e)
espagnol(e)
français(e)
guyanais(e)
italien(ne)
japonais(e)
polonais(e)
québécois(e)
sénégalais(e)
sympa

bien

FAMILLE
un frère – une sœur
un mari – une femme
un père – une mère

LOCALISATION
une adresse
un bar
un bureau
une chambre d'hôtel
un club
une rue

OBJETS
un badge
une carte de visite
une clé
une photo(graphie)
un téléphone

RELATIONS ET COMMUNICATION
un(e) ami(e)
un(e) correspondant(e)
un cours
un e-mail
un numéro (de téléphone)
un rendez-vous
un(e) voisin(e)

RELATIONS SOCIALES ET POLITESSE
à bientôt
au revoir/salut
bonjour/salut
bonne journée
bonne nuit
madame – monsieur
merci
pardon
s'il vous plaît

SPORTS ET LOISIRS
le cinéma
la danse
le football
le golf
la lecture
la littérature
la musique classique
la nature
le rap
le rock
le volley-ball

TEMPS ET DURÉE
un âge
un an

maintenant

QUANTITÉ ET FRÉQUENCE
beaucoup
(un) peu
souvent

UNITÉ 2

ACTIVITÉS
un(e) artiste
un écrivain
un(e) musicien(ne)
un peintre
un poète
un sculpteur

ACHATS
une boutique
un euro
un prix

coûter

CARACTÉRISATION
une couleur

blanc(he)
bleu(e)
blond(e)
brun(e)
cher/chère
grand(e) ≠ petit(e)
gris(e)
jaune
joli(e)
noir(e)
rouge
vert(e)

LOCALISATION
à côté (de)
à droite (de)
à gauche (de)
au dessous (de) ≠ au dessus (de)
contre
dans
devant ≠ derrière
entre
sous ≠ sur

LOGEMENT
une fenêtre
un mur
une pièce
une porte

OBJETS ET MEUBLES
une affiche
une assiette
une chaise
une étagère
un fauteuil
un livre
un meuble
un ordinateur
une table
un tableau
un vase
un verre

VÊTEMENTS ET ACCESSOIRES
des baskets *(fém.)*
un blouson
un chapeau
des chaussures *(fém.)*
une chemise
un jean
des lunettes *(fém.)*
un manteau
un pantalon
un pull(-over)
une robe
un sac
une taille (de vêtement)
un tee-shirt

UNITÉ 3

ARTS ET SCIENCES
l'archéologie *(fém.)*
l'art contemporain *(masc.)*
l'histoire *(fém.)*

CARACTÉRISATION
ancien(ne) ≠ récent(e)
calme ≠ bruyant(e)
clair(e) ≠ sombre
gratuit(e)
intéressant(e)
premier/première ≠ dernier/dernière

DÉPLACEMENTS
un avion
un bateau
un billet (de train/d'avion)
un bus
un chemin
l'est *(masc.)*

un kilomètre
une ligne (de bus/métro)
un métro
une moto
le nord
l'ouest (masc.)
(à) pied
un plan
des rollers (masc.)
le sud
un TGV
un train
un vélo
une voiture

LIEUX
une avenue
une banque
une bibliothèque
un boulevard
une cour
une école
une gare
un hôtel
un jardin
un magasin
un musée
une place
un pont
un port
une poste
une prison
un quai
un quartier
un restaurant

LOGEMENT
une agence immobilière
l'air conditionné (masc.)
une annonce immobilière
un appartement
un ascenseur
un couloir
une cuisine
une douche
une entrée
un étage
un immeuble
un mètre carré
un parking
un placard
un plan
un rez-de-chaussée
une salle de bains

un salon
une télévision
une terrasse
des toilettes (fém.)

louer

VOYAGE
un aéroport
une agence de voyages
une carte
une carte postale
un château
un circuit
une destination
un hélicoptère
une île
la mer
la montagne
un office de tourisme
une piscine
une plage
la réception (d'un hôtel)
un week-end

UNITÉ 4

ACTIVITÉS QUOTIDIENNES
un déjeuner
un petit déjeuner

se coucher
se détendre
dormir
écouter (de la musique)
écrire (à)
faire le ménage
faire les courses
faire sa toilette
s'habiller
jouer (à)
se laver
se lever
lire
prendre un repas
se préparer
se reposer
travailler

ALIMENTATION
des céréales (fém.)
un fruit
un jus d'orange
un yaourt

DÉPLACEMENTS
un aller simple
un aller-retour
un départ
une deuxième classe
une voie

complet/complète

PROFESSIONS
un(e) acteur/actrice
un docteur
un(e) employé(e)
un(e) informaticien(ne)
un(e) vendeur/vendeuse

SPORTS ET LOISIRS
l'athlétisme *(masc.)*
(aller en) boîte
(aller à) la campagne
un(e) champion(ne)
un footing
la gymnastique
la natation
le ski
le tennis
les vacances

s'entraîner
jouer aux cartes
jouer de la guitare
nager

TEMPS ET DURÉE
un après-midi
une heure
un horaire
une journée
midi
une nuit
une pendule
un soir

tard ≠ tôt

UNITÉ 5

ACTIVITÉS QUOTIDIENNES
acheter
boire
déjeuner
dîner
faire les magasins
manger

marcher
téléphoner

ALIMENTATION
le beurre
le cidre
du Coca
la confiture
une crêpe
un dessert
un dîner
l'eau (minérale) *(fém.)*
la farine
le fromage
un gâteau
le lait
un légume
une liste (de courses)
un œuf
le pain
des pâtes *(fém.)*
le poisson
une pomme de terre
un repas
le riz
la salade
le sucre
la viande
le vin

CARACTÉRISATION
beau, bel, belle
bon(ne)
excellent(e)
magnifique
romantique

FÊTES ET SORTIES
un cadeau
la Chandeleur
un feu d'artifice
un groupe (de musique)
un mariage
Noël
le nouvel an
une soirée

LIEUX
une fac(ulté)
un parc
une pâtisserie

QUANTITÉS
une bouteille (de)
un gramme

un kilo(gramme)
un litre
une livre

TEMPS ET DURÉE
une minute
un souvenir

hier/aujourd'hui/demain

la semaine dernière/cette semaine/la
semaine prochaine
le mois dernier/ce mois-ci/le mois prochain
l'année dernière/cette année/l'année
prochaine

UNITÉ 6

ACTIVITÉS ET RELATIONS PROFESSIONNELLES
une (petite) annonce
un(e) candidat(e)
un(e) client(e)
un(e) collègue
une entreprise
un entretien
une expérience (professionnelle)
le matériel informatique
un médecin
un(e) réceptionniste
(partir à) la retraite

ALIMENTATION
le chocolat
un plat
un régime

CARACTÉRISATION
un point fort/faible

court(e)
dynamique
familier/familière
idéal(e)
important(e)
interdit(e)
original(e)
possible
privé(e)
souriant(e)

COMMUNICATION
une lettre
un (téléphone) portable

PARTIES DU CORPS
un cheveu, des cheveux
un œil, des yeux

UNITÉ 7

CARACTÉRISATION
un avantage ≠ un inconvénient

culturel(le)
fatigué(e)
ouvert(e)
pratique
sportif/sportive
super
tranquille

GOÛTS ET LOISIRS
une discothèque
un journal
un magazine
l'opéra (masc.)

adorer ≠ détester
aller sur Internet
s'amuser à
se baigner
s'ennuyer
préférer
regarder la télévision

MOIS DE L'ANNÉE
janvier
février
mars
avril
mai
juin
juillet
août
septembre
octobre
novembre
décembre

OPINION
une enquête
une opinion
un point de vue
un questionnaire

QUANTITÉ
assez (de)

beaucoup (de)
un peu (de)
trop (de)

RELATIONS
un couple
ensemble
le monde (= les gens)

VACANCES ET ENVIRONNEMENT
le camping
un espace vert
l'étranger (masc.)
une location
la pollution
une résidence secondaire
le soleil

UNITÉ 8

CARACTÉRISATION
amoureux/amoureuse
célèbre
heureux/heureuse
malade
neuf/neuve
terrible
terrifié(e)

MÉDIAS ET COMMUNICATION
un article (de journal)
un fait divers
une interview
un(e) journaliste
une radio
un reportage
un témoignage
un texte

SPORTS ET LOISIRS
un album (de musique)
le basket
une chanson
un(e) fan
le slam

SYMBOLES FRANÇAIS
une baguette
un camembert
le champagne
un coq

un croissant
la haute couture

TEMPS ET DURÉE
l'enfance (fém.)
une époque

TRANSPORTS
un accident
une autoroute
un(e) blessé(e)
un camion
une route

rouler

UNITÉ 9

CARACTÉRISATION
certain(e)
facile
fantastique
probable
sûr(e)

LOGEMENT
une cheminée
la peinture

faire des travaux

MÉTÉO
un bulletin météo
un degré
un nuage
un parapluie
la pluie
une prévision météorologique
la température
le temps

briller
faire beau/chaud/froid

TEMPS ET DURÉE
l'avenir (masc.)
un projet

d'abord
bientôt
longtemps
tout de suite

Transcriptions

Rencontres

Leçon 1

Entraînez-vous p. 15

4 1 Il est italien.
2 Elle s'appelle Justine.
3 Je suis français.
4 Il s'appelle Jacques.
5 Tu es française.

Prononcez p. 15

1 Vous êtes français.
2 Il s'appelle Paul ?
3 Elle est française.
4 C'est Lucie ?
5 Alberto est italien ?

Leçon 2

Dialogue 2 p. 16

– Café ? Thé ?
– Café, s'il vous plaît. Qui est-ce ?
– Ah ! c'est Émilie Constant, l'assistante de M. Devaux, le directeur. Et elle, c'est la secrétaire, Mme Moreno.
– Et lui, qui est-ce ?
– C'est Pierre, il est professeur. Elle, c'est Anna. Elle est étudiante et elle est belge. Luigi, lui, il est italien. Carlos est espagnol et Lin est chinoise…

Entraînez-vous p. 17

2 1 Il est professeur d'italien.
2 Lou est chinoise.
3 Elle est belge.
4 C'est l'assistante de M. Devaux.
5 Paul est mon assistant.

3 1 – Elle est française ?
– Non, elle est belge.
2 – Vous êtes directeur commercial ?
– Non, je suis dentiste.
3 – La directrice, c'est vous ?
– Mais non, je suis photographe.

Communiquez p. 17

5 1 – Monsieur Lamy, s'il vous plaît ?
– Monsieur Lamy, bureau 5, c'est le poste 15.
2 – Madame Beaufort, s'il vous plaît ?
– C'est le bureau 8, poste 18.
3 – Mademoiselle Da Silva ?
– Bureau 3, poste 13.
4 – Monsieur Bui ?
– Oui, bureau 2, poste 12.
5 – Madame Dubois, s'il vous plaît ?
– Bureau 1, poste 11.

Leçon 3

Dialogue 2 p. 18

– Ah ! bonjour, monsieur Legrand. Comment allez-vous ?
– Ça va, ça va, merci. Et vous, madame Lebon ?
– Oh ! oui, moi, je vais bien.
– Et votre bébé ? Il va bien ?
– Ça va, ça va.
– C'est un garçon ou une fille ?
– Ah ! un garçon.
– Et il a quel âge maintenant ?
– Il a un an…
– Eh bien, bonne journée, madame Lebon.
– Vous aussi, monsieur Legrand, au revoir.

Entraînez-vous p. 19

4 1

vingt et un	vingt-sept	quarante
vingt-deux	vingt-huit	cinquante
vingt-trois	vingt-neuf	soixante
vingt-quatre	trente	soixante et un
vingt-cinq	trente et un	soixante-deux
vingt-six	trente-deux	

2 12 – 21 – 27 – 32 – 43 – 55 – 61 – 68

Communiquez p. 19

5 – Bonsoir, madame.
– Bonsoir, monsieur. Vous avez ma clé, s'il vous plaît ?
– Oui, quel est votre numéro de chambre ?
– Chambre 23.
– Bien, voilà votre clé, madame.
– Merci. Ah ! s'il vous plaît, quel est le numéro de téléphone de l'hôtel ?
– C'est le 01 46 57 38 21.
– Pardon ?
– 01 46 57 38 21.
– Merci. Bonne nuit.
– Bonne nuit, madame.

Prononcez p. 19

1 Anne // a un ami.
2 Monsieur Dany // va bien.
3 L'amie de Mathilde // s'appelle Chloé.
4 Madame Lebon // a un garçon.
5 Roberto // parle français.

Savoir-faire p. 22

1 Bonjour et bienvenue à Bingo-Bingo !
Elle s'appelle Éva. Elle est canadienne et elle habite à Bordeaux avec son mari, Hugo. Éva a vingt-neuf ans, elle est professeur de danse. Elle aime la musique, la danse classique, la littérature et le cinéma japonais.
Romain a vingt-deux ans. Il est étudiant à Paris. Il parle anglais, italien et français. Romain aime beaucoup le football, la photo et le rap.
Éva, Romain, c'est à vous !

UNITÉ 2

Portraits

Leçon 5
Communiquez p. 25
4 Dialogue 1
– Bonjour. Vous êtes deux personnes ?
– Non, nous sommes trois.
– Trois personnes… Trois personnes. La table à gauche, à côté du fauteuil ?
– Très bien, merci !

Dialogue 2
– Bonsoir, je suis monsieur Malet.
– Monsieur Malet… Vous êtes six ?
– Oui, oui, nous sommes six.
– Table 4. C'est à droite de la porte.

Dialogue 3
– Bonjour, vous êtes… ?
– Quatre personnes.
– Table 7. Sous le miroir.
– À gauche ?
– Oui, à gauche.

Prononcez p. 25
1 a Les livres sont sur les tables.
  b Il y a des fleurs.
  c Il y a une chaise devant la table.
  d L'affiche est sur le mur.
  e Il y a des chaises contre les murs.

Leçon 6
Découvrez p. 26
1 2 a Il est grand, brun. Il porte un pull-over bleu… blanc. Il a un manteau noir et des chaussures de sport.
  b Il est petit, blond. Il n'a pas de lunettes et il porte un blouson noir. Il a un tee-shirt rouge.
  c C'est un homme, petit, brun. Il porte une chemise rouge et un jean. Ses chaussures sont noires aussi.

Leçon 7
Entraînez-vous p. 29
4 70 – 71 – 72 – 80 – 81 – 82 – 90 – 91 – 92 – 100 – 200 – 1000

Communiquez p. 29
5 1 La table et les quatre chaises sont à 1 380 €.
  2 Alors, le sac noir coûte 79 € et le rouge 87 €.
  3 Le téléphone ici, à gauche ? Il est à 260 €. Ah ! non, pardon, 276 €.

UNITÉ 3

Ça se trouve où ?

Leçon 9
Découvrez p. 34
2 – Loca-loisirs, Alain Dauger. Bonjour.
  – Oui, bonjour, je suis Richard Soisson.

– Ah ! bonjour, monsieur Soisson. Comment allez-vous ?
– Bien, merci. J'ai votre e-mail devant moi et j'ai deux questions pour l'appartement au coin de la rue Victor-Hugo et de la rue Michelet.
– L'appartement près de notre agence, c'est ça ?
– Oui, oui, c'est ça, à côté de chez vous. Est-ce qu'il y a une fenêtre dans la salle de bains ?
– Non.
– Bon… et où sont les placards ?
– Ils sont dans la chambre et au bout du couloir.

Prononcez p. 35
1 a si – su   c vie – vu   e loup – lu
  b lit – lu   d sous – su   f vous – vu
2 a dé – deux   c V – veux   e beau – bleu
  b blé – bleu   d dos – deux   f veau – veux
3 a sel – seul   c belle – bœuf   e note – neuf
  b nef – neuf   d sol – seul   f bof – bœuf

Leçon 10
Communiquez p. 37
5 Dialogue 1
– Excusez-moi, pour aller à la gare, s'il vous plaît ?
– Oh là ! la gare ! Mais, c'est loin. Vous êtes à pied ?
– Oui.
– Eh bien, prenez un taxi. Ou le bus… La ligne 10 passe devant la gare.
– La ligne 10. Bon, d'accord. Merci, madame.

Dialogue 2
– Pardon, madame, je cherche la poste, s'il vous plaît.
– Oh ! ce n'est pas loin. Vous prenez la première à gauche, vous allez tout droit et c'est au bout de la rue, sur la place.
– J'y vais à pied ?
– Oui, bien sûr.

Dialogue 3
– Salut, Tristan, tu vas où ?
– Au lycée.
– Ah ! moi aussi. Tu y vas comment, toi ? À vélo ?
– Non, non, en métro.
– Ah bon ? Tu ne prends pas le bus ? C'est direct !
– Oh ! non, c'est long en bus.
– Bon, d'accord. Prenons le métro.

Leçon 11
Communiquez p. 39
5 – Alors, voilà, nous avons deux hôtels sur l'île. L'hôtel Pacifique, à l'ouest, et l'hôtel Continental, au sud.
  – Et ils sont au bord de la mer ?
  – L'hôtel Pacifique, oui, pas le Continental. Mais à l'hôtel Continental, vous avez une piscine.
  – Ah ! une piscine ! Et les chambres, elles sont comment ?
  – Dans les deux hôtels, vous avez des chambres avec salle de bains, l'air conditionné et le téléphone. Et puis, à l'hôtel Pacifique, il y a aussi une terrasse et la télévision.
  – Eh bien alors, Delphine, le Pacifique ou le Continental… ?
  – Prenez le Pacifique, il est au bord de la mer et c'est un hôtel très sympa !

Leçon 12

Découvrez p. 41

3 1 Bon, alors, vous prenez à droite la rue Paradis jusqu'à la Canebière et vous tournez à gauche. Vous allez jusqu'au Vieux-Port et vous prenez à droite le quai du Port jusqu'au bout. Il est à l'entrée du port.

2 Ah ! c'est un peu loin. Vous n'avez pas de voiture… Eh bien, prenez à droite et suivez la rue Paradis jusqu'au bout. Tournez à gauche dans la Canebière, puis prenez la rue de la République à droite. Ensuite, voyons, une, deux, trois… prenez la quatrième rue à droite. Il est juste en face de vous.

Savoir-faire p. 42

1 a – Agence ABC, bonjour. Laissez votre message après le bip. Merci.
 – Bonjour, je cherche un appartement à louer. Euh… trois pièces avec cuisine et salle de bains… dans le centre ou près du centre… au troisième ou quatrième étage avec ascenseur. Et pour le prix, entre 600 et 700 € par mois. Voilà. Je m'appelle Estelle Leclerc. Mon numéro de téléphone est le 06 67 98 21 45.

Évaluation 1

Compréhension de l'oral p. 43

1 Vous avez ce pantalon en taille 42, s'il vous plaît ?
2 Pour aller gare de Lyon ? Prenez la première à gauche. Ensuite, c'est tout droit, en face de vous.
3 Ton téléphone ? Il est dans le salon, sur la table à côté du fauteuil.
4 Bonjour, madame, je suis monsieur Darc. Antoine Darc.
5 Oui. Votre hôtel se trouve à côté de la plage et vous avez une chambre face à la mer.

UNITÉ 4

Au rythme du temps

Leçon 13

Communiquez p. 47

4 1 Le TGV 8765 à destination de Lyon, départ 9 h 25, partira voie 3.
2 Le TGV 7017 à destination de Dijon, départ 10 h 04, partira voie 7.
3 Le TGV 6326 à destination de Nice, départ 17 h 42, partira voie 9.

Prononcez p. 47

A. 1 Elle a deux sacs. Il est deux heures.
2 Ils sont six. Il y a six tables. Il est six heures.
3 Ils sont huit. Il y a huit photos. Ils ont huit enfants.
4 Voilà neuf pendules. Il a neuf ans.
5 Ils sont dix. Voilà dix objets. Voilà dix sacs.

B. 1 Il a une chaise. Il est chez ses amis.
2 Elle prend deux sacs. Elle prend deux objets.
3 Ils ont des billets. Ils sont chez eux.

4 Vous avez une leçon. Vous savez la leçon.
5 Il y a six hommes. Il y a six semaines.

Leçon 14

Communiquez p. 49

5 Dialogue 1
– Cabinet du docteur Renoir, bonjour.
– Oui, bonjour, madame. Je voudrais un rendez-vous mercredi… Mercredi matin, c'est possible ?
– Non, désolée, tout est complet le matin.
– Et dans l'après-midi ?
– Alors, il a rendez-vous à 14 h 30 et à 16 h 15. Donc, 15 h 30, c'est possible pour vous ?
– Oui, d'accord.

Dialogue 2
– Créa'tif coiffure, bonjour.
– Bonjour, je voudrais un rendez-vous avec Dominique, s'il vous plaît.
– Oui, quel jour ?
– Samedi, c'est possible ?
– Oui… À 10 h 45 ou bien 11 h 30 ?
– À onze heures moins le quart, parfait.
– C'est bon.

Prononcez p. 49

1 a fait – faim
 b bon – beau
 c cubaine – cubain
 d pain – paix
 e son – sonne
 f rang – rat
 g bonne – bon

2 a argentin – argentine
 b musicienne – musicien
 c américain – américaine
 d informaticien – informaticienne

Leçon 15

Prononcez p. 51

1 par – para – radio
2 mer – mairie – riz
3 heure – heureux – revient
4 soir – soirée – réponse
5 dort – doré – réveiller
6 Pierre – Pierrot – roman
7 bar – barreau – rose
8 vert – verrue – rue

Savoir-faire p. 54

1 a Bienvenue au cinéma CGR. Voici les films, les salles et les horaires du mercredi 12 mars :
 Julia, d'Éric Zonca. Film à 13 h 45, 16 h 30, 19 h 45 et 22 h 00. Salle 1.
 L'heure d'été, d'Olivier Assayas. Film à 13 h 45, 16 h 30, 19 h 45 et 22 h 00. Salle 2.
 John Rambo, de Sylvester Stallone. Film à 20 h 00 et 22 h 30.
 Salle 3.
 La Maison jaune, d'Amor Hakkar. Film à 16 h 30. Salle 3.

Paris, de Cédric Klapisch. Film à 14 h 30 et 20 h 30. Salle 4.

Taken, de Pierre Morel. Film à 16 h 30 et 22 h 30. Salle 4. Tous les films de l'après-midi sont à 5,10 €. Le soir, les billets sont à 7 €. Pour les étudiants, le tarif est de 5,10 €.

UNITÉ 5

La vie de tous les jours

Leçon 17

Communiquez p. 57

5 – Qu'est-ce qu'on mange à midi, Antoine ?
– Je ne sais pas, moi. De la viande ?
– Ah ! non, pas de viande.
– Ah ! du poisson alors…
– Oui, d'accord. Et avec ça ?
– Ah ! des pommes de terre…
– Bon, alors, j'achète du poisson et des pommes de terre ?
– Oui. Mais prends aussi du fromage.
– C'est tout ?
– Non, il faut aussi une bouteille d'eau minérale.
– Bon, alors, j'y vais.

Prononcez p. 57

1 a Le beurre est encore cher.
  b Le vendeur est à la porte.
  c L'acteur fait du sport.
  d Est-ce que le chauffeur téléphone ?
  e Elles veulent faire du sport.

2 a Sa sœur ne veut pas.
  b Il peut leur montrer.
  c On déjeune jeudi prochain.
  d Ils veulent des jeux.
  e Elle a peur du feu.

Leçon 18

Communiquez p. 59

6 – Alors, qu'est-ce que vous avez fait hier entre 20 heures et 23 heures ?
– Alors… Vers 20 heures, j'ai téléphoné à ma mère et, après, j'ai dîné chez ma voisine. C'est une amie.
– Comment est-ce qu'elle s'appelle ?
– Anne. Anne Barreau.
– Et ensuite ?
– Ensuite, eh bien, nous avons pris un verre au Café de la gare, un café à côté de la maison.
– Au Café de la gare ?
– Oui, oui, pourquoi ?

Leçon 19

Communiquez p. 61

5 – Allô ! Léa ? C'est Mathilde.
– Mathilde ! Alors, tu es rentrée de Barcelone ?
– Oui, là, je suis à Paris.

– Tu es restée combien de temps là-bas ?
– Cinq jours.
– Tu es rentrée quand ?
– Mardi dernier.
– Alors, Barcelone, c'est comment ?
– Magnifique ! Étienne et moi, on y retourne le mois prochain.
– Ah bon ? Et pour combien de temps, cette fois ?
– Pour deux semaines.

Savoir-faire p. 64

1 Bonjour. Vous avez deux messages.
– Chéri, c'est moi. Il n'y a pas de pain pour le dîner, ce soir. Alors, prends du pain chez le boulanger, s'il te plaît. À ce soir.
– Chéri, c'est encore moi. Prends aussi de la salade, des œufs, du beurre et du fromage. Ta mère dîne à la maison ce soir. Ah ! et de l'eau ! Achète aussi deux bouteilles d'eau.

UNITÉ 6

Vivre avec les autres

Leçon 22

Découvrez p. 68

1 2 – Alors, vous avez quel âge, s'il vous plaît ?
– Je vais avoir 22 ans dans un mois.
– Très bien. Et vous avez déjà travaillé dans un hôtel ?
– Oui, j'ai travaillé un an à la réception d'un hôtel, à Berlin.
– Oh ! vous savez parler allemand, alors ?
– Oui, oui, je parle allemand et anglais, et je vais apprendre l'espagnol.
– Très bien. Dites-moi, est-ce que vous faites du sport ?
– Du sport ? Oui, je fais du tennis et de la natation. C'est important ?
– Écoutez, non, non… Non, ce n'est pas très important… Mais il faut parfois travailler le samedi et le dimanche. Vous pouvez travailler le week-end ?
– Ah ! oui, oui, pas de problème.

Communiquez p. 69

5 – Allô ! bonjour. Je téléphone pour l'annonce.
– Vous êtes étudiant ?
– Oui, je suis étudiant à la fac de langues à Bordeaux.
– Ah ! très bien.
– Je voudrais savoir… les cours, c'est pour un enfant de quel âge ?
– Douze ans. C'est ma fille. Elle a fait un an d'anglais à l'école mais elle ne peut pas dire un mot.
– Et vous voulez combien d'heures de cours par semaine ?
– Je ne sais pas. Deux ou trois heures. Vous pouvez donner les cours le soir après 18 heures ?
– Alors, le mardi et le jeudi, ce n'est pas possible. Mais les autres jours, pas de problème.

Leçon 24
Découvrez p. 73
3 – Bien, alors, madame, que savez-vous de notre entreprise ?
– Je… Vous vendez des téléphones. C'est ça ?
– Ah ! non, pas exactement. Nous vendons du matériel informatique.
– Ah ! ouais, ouais… C'est ça, ouais…
– Et pourquoi voulez-vous travailler pour nous ?
– J'ai pas de travail… Alors, je cherche…
– Qu'est-ce que vous avez fait avant ?
– Secrétaire.
– Et pourquoi avez-vous quitté votre dernier travail ?
– C'est mon mari. Il est allé habiter avec une autre femme… une femme de mon entreprise. Vous imaginez, au travail ! Alors, je suis partie.
– Bien, vous avez des questions peut-être ?
– Non…
– Eh bien, merci.

Évaluation 2
Compréhension de l'oral p. 75
Objectif 1
Le matin, en général, je me lève vers cinq heures, très tôt, parce que je commence à écrire de très bonne heure. Deux heures après, je prends un petit déjeuner, vers sept heures. Je prends deux bols de café et, ensuite, je continue à écrire jusqu'à onze heures. Et avant le déjeuner, entre onze heures et midi, je lis les journaux. Après le déjeuner, en général, je vais me promener ou je fais un petit peu de sport, je joue au tennis. Et, en fin d'après-midi, vers quatre heures, je recommence à écrire jusqu'à sept ou huit heures. Après dîner, je continue à écrire jusqu'à minuit environ ; donc, je dors environ cinq heures par nuit.

Objectif 2
Dialogue 1
– Bonjour, je voudrais réserver une table pour quatre personnes, ce soir. C'est possible ?
– Pas de problème. À quelle heure, s'il vous plaît ?
– 21 h 00.
– 21 h 00. À quel nom ?

Dialogue 2
– Pardon, madame. À quelle heure part le prochain train pour Bruxelles, s'il vous plaît ?
– Le prochain train pour Bruxelles… À 9 h 18. Vous voulez un billet ?

Dialogue 3
– Bonjour. Je suis madame Moine. J'ai rendez-vous avec le docteur Vieira à 16 h 30.
– Madame Moine… Ah oui, 16 h 30. Un moment, s'il vous plaît.

Dialogue 4
– Pardon, madame. Est-ce que le film *Eldorado* a commencé, s'il vous plaît ?
– Non, il commence à 20 heures. C'est bon.
– D'accord. Alors, deux billets, s'il vous plaît.

Un peu, beaucoup, passionnément…

Leçon 25
Découvrez p. 78
– Pardon, monsieur, je fais une enquête sur les loisirs des Français. Vous pouvez répondre à quelques questions ?
– Oui, bien sûr.
– Alors… Vous avez quel âge, s'il vous plaît ?
– 26 ans.
– Vous faites du sport ?
– J'ai fait du sport, mais aujourd'hui, non… je n'en fais plus.
– D'accord. Le week-end, est-ce que vous sortez beaucoup, un peu ou pas du tout ?
– Ah ! je sors beaucoup !
– Avec des amis ? En famille ?
– Avec mes amis.
– Qu'est-ce que vous préférez : aller au cinéma, au théâtre, à l'opéra ou dans les musées ?
– J'aime beaucoup le cinéma… J'aime bien le théâtre aussi… Mais l'opéra et les musées, non… Je déteste ça !
– D'accord. Le soir, après le travail, vous préférez aller sur Internet, lire un livre, un journal, un magazine ou regarder la télévision ?
– Je préfère lire… oui, lire. Je n'aime pas beaucoup regarder la télé.
– Ah ! bien. Avec vos amis, où est-ce que vous dînez, en général ? À la maison, chez vous, chez eux ou au restaurant ?
– Ah ! chez moi, j'aime bien ! J'adore faire la cuisine.
– Et après le dîner, vous sortez dans les bars, dans les discothèques ?
– Dans les bars, oui… Dans les discothèques, non. Je n'aime pas beaucoup danser.
– Très bien. Merci beaucoup, monsieur.

Leçon 26
Prononcez p. 81
1 Vous êtes pour ou contre ?
2 Vous aimez les petites ou les grosses voitures ?
3 Vous préférez la bleue ou la rouge ?
4 Elle est grande mais pas très belle.
5 Vous préférez la ville ou la campagne ?

Leçon 27
Communiquez p. 83
5 1 Oui, je suis allée deux semaines en Bretagne. Qu'est-ce que c'est bien !
2 Hier, nous avons visité le musée d'Art moderne. Oui… Ce n'est pas très intéressant !
3 J'ai passé tout le week-end à La Rochelle. C'est vraiment beau !
4 Oui, eh bien, l'île Madame, ça n'a pas beaucoup d'intérêt !
5 Je suis partie à la campagne, cette année. Je me suis ennuyée !
6 La plage, le soleil, tout ça… J'adore ! C'est super !

Savoir-faire p. 86

1 – Allô ! oui.

– Bonjour, madame. Je me présente. Je m'appelle Thomas Caron et je travaille pour l'institut VBA. Nous faisons en ce moment une enquête sur les Français et les vacances pour le magazine *Télé 7*. Vous pouvez répondre à quelques questions, s'il vous plaît ?

– Euh… oui, bien sûr.

– Quel âge avez-vous, s'il vous plaît ?

– 34 ans.

– D'accord. En général, passez-vous vos vacances en France ou à l'étranger ?

– En France.

– Hum, hum. Où passez-vous vos vacances ? À la mer, à la montagne, à la campagne ou en ville ?

– Euh… à la mer… ou à la montagne. La campagne, non, on n'aime pas ça.

– Partez-vous seule ? En couple ? Avec des amis ? En famille ?

– Avec mon mari.

– D'accord. Comment voyagez-vous ? En train, en avion, en voiture ?

– En voiture. Le train et l'avion, c'est trop cher.

– Bien. Quand est-ce que vous partez en vacances, en général ?

– En août. Toujours en août.

– D'accord. Où habitez-vous pendant les vacances ?

– À la mer, nous dormons chez ma sœur. Elle a une grande maison. À la montagne, on loue un appartement.

– Très bien. Je vous remercie, madame. Au revoir et bonne journée.

– Merci. Vous aussi.

4 – Bonjour, vous êtes bien chez Alfredo et Martha. Nous ne sommes pas là pour le moment mais laissez-nous un message. Merci.

– Bonjour Martha, bonjour Alfredo. C'est Marc. Euh… Stéphanie et moi, nous voulons passer deux semaines de vacances dans votre pays, cette année. Est-ce que vous pouvez nous donner des conseils ? Euh… Je ne sais pas, moi. Quel mois choisir, par exemple ? Quoi visiter ? Quels vêtements prendre ?… Vous pouvez nous téléphoner ? Merci d'avance.

UNITÉ 8

Tout le monde en parle

Leçon 29

Communiquez p. 89

5 – Qu'est-ce que vous vouliez faire quand vous aviez sept ou huit ans ?

– Quand j'avais sept ou huit ans ? Ben moi, je voulais être boulanger… comme mon père.

– Moi, quand j'étais petit, je voulais être professeur d'espagnol parce que, dans ma classe, il y avait une Espagnole… Qu'est-ce qu'elle était belle !

– Eh bien, moi, je voulais travailler dans une gare… parce que j'aimais beaucoup les trains.

– Actrice. Parce que j'allais au cinéma avec mon père et… j'aimais bien ça.

Prononcez p. 89

1 Ils étaient là tous les dix.

2 Il portait beaucoup son petit blouson.

3 Elle pensait bien partir en bus.

4 Il y avait un gros camion à côté du garage.

5 Ils attendaient tous les deux devant la porte.

Leçon 30

Communiquez p. 91

6 1 La femme venait d'entrer chez le boulanger, en face. Et l'homme, il était à côté de sa voiture. Il est monté dans la voiture et il est parti.

2 Quand c'est arrivé, j'étais à ma fenêtre. La femme venait de sortir de sa voiture. Alors, un homme a pris les clés de la femme. Il est monté dans la voiture et il est parti.

3 Il y avait deux hommes, un grand et un petit. La femme venait de sortir de la voiture. Le grand a pris les clés de la femme et ils sont partis.

Prononcez p. 91

A. 1 C'est faux. Ça ne vaut rien.

2 C'est à faire. C'est à voir.

3 Ils sont neufs. Elles sont neuves.

4 C'est un sportif. C'est une sportive.

B. 1 Il a fait une chute.

2 Elle a acheté une jupe.

3 J(e) peux jouer ?

4 Je t'attends chez moi.

5 Je ne l'achète pas cher.

Leçon 31

Communiquez p. 93

5 – Bonjour, mademoiselle, vous pouvez vous présenter, s'il vous plaît ?

– Oui, bonjour, je m'appelle Juliette Henry. Je suis née en 1980… le 16 janvier. J'ai fait du théâtre à Bordeaux de 1996 à 1998. Et puis… à partir de 98, j'ai pris des cours de théâtre, rue Blanche, à Paris…

– Combien d'années ?

– Deux ans. Jusqu'en 2000… Et, un an plus tard, j'ai joué dans *Astérix et Obélix*, au cinéma. Voilà.

Savoir-faire p. 96

3 – France Bleue Côte d'Azur, il est 19 heures.

– Bonsoir. Nous sommes aujourd'hui en direct du festival de Cannes avec notre journaliste Anita Dutourd. Anita, que s'est-il passé à Cannes cet après-midi ?

– L'actrice Catherine Deneuve et la chanteuse Björk sont arrivées vers 18 heures ici, au Palais des festivals, pour présenter leur film *Dancer in the dark*. Catherine Deneuve portait une très belle robe noire Yves Saint Laurent et Björk une robe rose très originale. Elles étaient vraiment magnifiques toutes les deux. Elles sont restées un long moment devant les photographes et sont ensuite entrées dans le Palais des festivals. Et il y a eu aussi un petit accident quand la voiture de Jean Reno est arrivée. Un photographe traversait la route et la voiture l'a un peu heurté. Mais tout va bien. Le photographe n'est pas blessé. Jean Reno est sorti de la voiture et a fait une photo avec lui.

UNITÉ 9

On verra bien !

Leçon 33
Communiquez p. 99

5 1 – Tu crois qu'elle m'écrira ?
– Je n'en suis pas sûr.
2 – Ce soir ? Je vais au théâtre.
– Ah bon ! Tu verras peut-être Pierre alors… Il y va aussi.
3 – Ah ! ne t'inquiète pas ! Je suis certaine qu'il te téléphonera.
4 – Ah oui ! Moi, je crois qu'ils viendront.
5 – En mai ! Vous serez en vacances, non ?
– Non, je ne crois pas.
6 – Tu crois que j'aurai ce travail ?
– Oui, certainement.

Leçon 34
Communiquez p. 101

5 – Ah ! dis-moi, Philippe… On dîne ensemble la semaine prochaine ?
– Désolé, mais ce n'est pas possible : je pars à Paris dans une semaine.
– Et tu y restes longtemps ?
– Oh ! je vais rester là-bas quatre ou cinq jours.
– Bon… après alors ?
– Non, après, je serai en vacances. Je pars dix jours en Autriche.
– Mais tu es toujours parti ! Quand est-ce qu'on peut se voir ?
– Eh bien, dans un mois ? Dans un mois… le mardi 15… le mardi 15 septembre ? Ça va ?
– Le 15 ? Pas de problème ! Tu es sûr que tu pourras ?
– Mais oui, je te dis. Je serai là.

Prononcez p. 101

1 a célèbre   d membre   g brun
b prendre   e prix   h pratique
c nombre   f préférer

2 a vrai   d livre   g vraiment
b France   e frais   h fragile
c ouvrir   f fromage

Leçon 35
Communiquez p. 103
5 Dialogue 1
– Tu veux aller au cinéma ce soir ?
– Ah ! j'ai du travail à terminer. On ira demain, si tu veux.
– Non, demain, j'ai rendez-vous avec une amie. Et je ne sais pas du tout à quelle heure je rentrerai.
– Bon, alors, on ira samedi, s'il n'y a pas trop de monde…

Dialogue 2
– Est-ce que vous partez en vacances cet été ?
– Non, ce n'est pas sûr. Christophe va peut-être changer de travail.
– Ah bon ? Et alors ?
– Eh bien, s'il change de travail, il n'aura pas de vacances tout de suite…

Dialogue 3
– Alors, vous pourrez venir à notre petite fête ?
– Avec plaisir, si mon mari va bien.
– Ah bon ? Ça ne va pas ? Mais qu'est-ce qu'il a ?
– Il est malade. Il doit rester au lit.

Savoir-faire p. 106

3 Radio Luna, bonjour. Voici votre horoscope de la journée.
Bélier : Attention ! Vous aurez aujourd'hui beaucoup de travail. La journée au bureau sera difficile.
Taureau : Si vous avez des problèmes d'argent, cela changera bientôt. Attendez un peu.
Gémeaux : Vous cherchez l'appartement ou la maison de vos rêves ? C'est bon. Vous allez certainement trouver aujourd'hui votre nouveau lieu de vie.
Cancer : La journée sera calme et tranquille. Vous pourrez enfin vous reposer.
Lion : Votre petit(e) ami(e) vous a quitté. Un conseil : sortez de chez vous et vous verrez, vous rencontrerez votre nouvel amour.
Vierge : Vos projets de voyage vont se réaliser. C'est sûr. Vous partirez bientôt dans un pays étranger.

Évaluation 3
Compréhension de l'oral p. 107
– Bonjour, qu'est-ce que vous aimez faire dans la vie et qu'est-ce que vous n'aimez pas faire, en général ?
– Dans la vie ? J'aime bien faire des travaux dans ma maison. La peinture des murs, par exemple. Mais, ensuite, je déteste faire le ménage !
– Moi, j'aime beaucoup voyager à l'étranger. Quand je suis chez moi, j'aime faire la cuisine, lire, écouter de la musique. Mais je n'aime pas faire la vaisselle, le ménage en général. Ça non, je n'aime pas !
– Ce que j'aime faire dans la vie ? J'aime aller à la mer, rester au soleil, faire du vélo. J'aime beaucoup lire dans mon lit aussi. Ce que je n'aime pas ? Je n'aime pas faire les courses à Paris le samedi après-midi et je déteste le dimanche.
– Bonne question. Avant, j'aimais bien faire du tennis. Maintenant, non, je préfère la natation. Ce que je n'aime pas ? Ah ! oui, je déteste faire les courses.

Mémento grammatical

LA PHRASE

A LA PHRASE AFFIRMATIVE

Groupe du nom	Groupe du verbe	Complément (facultatif)
Mes amis	*sont étudiants*	*en Italie.*
Les enfants	*font du sport*	*le samedi.*
Vous	*écrivez à vos amis*	*tous les mois.*
Ils	*sont venus*	*hier.*

B LA PHRASE NÉGATIVE

Les deux éléments de la négation entourent la **forme conjuguée du verbe** :
*Je **ne** sais **plus**. Je **n'**ai **pas** dormi. **Ne** regarde **pas** ! Je **ne** vais **pas** travailler.*

⚠ Place des pronoms compléments :
*Je **ne** le vois **plus**. Je **ne** l'ai **pas** vu. **Ne** le regarde **pas** ! Je **ne** vais pas **le** voir.*

C LA PHRASE INTERROGATIVE

Langue standard (plutôt à l'oral)	Langue standard (oral/écrit)	Langue formelle (plutôt à l'écrit)
Questions fermées (réponse *oui* ou *non*)		
Vous êtes français ?	*Est-ce que vous êtes français ?*	*Êtes-vous français ?*
Questions ouvertes		
*Vous cherchez **qui** ?*	***Qui** est-ce que vous cherchez ?*	***Qui** cherchez-vous ?*
*Vous voulez **quoi** ?*	***Qu'**est-ce que vous voulez ?*	***Que** voulez-vous ?*
*Vous allez **où** ?*	***Où** est-ce que vous allez ?*	***Où** allez-vous ?*
*Vous êtes **combien** ?*	***Combien** est-ce que vous êtes ?*	***Combien** êtes-vous ?*
*Vous partez **quand** ?*	***Quand** est-ce que vous partez ?*	***Quand** partez-vous ?*
*Vous venez **comment** ?*	***Comment** est-ce que vous venez ?*	***Comment** venez-vous ?*
*Vous avez **quel âge** ?*	***Quel âge** est-ce que vous avez ?*	***Quel âge** avez-vous ?*

LE GROUPE DU NOM

A LES DÉTERMINANTS

1 Les articles

	Singulier	Pluriel
articles définis	**le** voisin **la** voisine **l'**étudiant(e)	**les** voisins **les** voisines **les** étudiant(e)s
articles indéfinis	**un** voisin **une** voisine	**des** voisins **des** voisines
articles partitifs	**du** sucre **de la** farine **de l'**argent **de l'**eau	**des** céréales
articles contractés	le train **du** matin (*de + le = du*) **au** premier étage (*à + le = au*)	le train **des** vacances (*de + les = des*) **aux** toilettes (*à + les = aux*)

⚠ Pas d'article devant les noms propres et les noms de ville : *Alain Fournier vit à Paris.*

2 Les adjectifs possessifs

	Singulier		Pluriel	
	masculin	féminin	masculin	féminin
je	**mon** pays	**ma** ville	**mes** voisins	**mes** voisines
tu	**ton** pays	**ta** ville	**tes** voisins	**tes** voisines
il/elle	**son** pays	**sa** ville	**ses** voisins	**ses** voisines
nous	**notre** pays	**notre** ville	**nos** voisins	**nos** voisines
vous	**votre** pays	**votre** ville	**vos** voisins	**vos** voisines
ils/elles	**leur** pays	**leur** ville	**leurs** voisins	**leurs** voisines

⚠ Les adjectifs possessifs s'accordent toujours avec la personne ou l'objet possédé :
la mère de Paul = **sa** *mère, les livres de Sophie =* **ses** *livres.*

⚠ On emploie *mon, ton, son* devant un nom commençant par une voyelle :
mon *amie,* **son** *adresse.*

3 Les adjectifs démonstratifs

Singulier		Pluriel	
masculin	féminin	masculin	féminin
ce sac **cet** objet/**cet** homme	**cette** robe	**ces** vêtements	**ces** chaussures

4 Les adjectifs interrogatifs

Singulier		Pluriel	
masculin	féminin	masculin	féminin
Quel vêtement ?	**Quelle** couleur ?	**Quels** vêtements ?	**Quelles** couleurs ?

5 L'adjectif indéfini *tout*

Singulier		Pluriel	
masculin	féminin	masculin	féminin
tout le monde	**toute** la ville	**tous** les amis	**toutes** les filles

B LES NOMS

1 Le genre (masculin ou féminin)

Les noms désignant des personnes ou des animaux ont une forme masculine et une forme féminine.

Masculin	Féminin	Modification
un voisin	une voisine	+ *e*
un chanteur	une chanteuse	*-eur* → *-euse*
un conducteur	une conductrice	*-teur* → *-trice*
un épicier	une épicière	*-er* → *-ère*
un informaticien	une informaticienne	*-ien* → *-ienne*
un photographe, un secrétaire…	une photographe, une secrétaire…	même forme
un homme, un garçon…	une femme, une fille…	nom différent

⚠ Mots toujours au masculin : *un professeur, un médecin, un bébé…*

2 Le nombre (singulier ou pluriel)

Singulier	Pluriel	Modification
Cas général		
le livre, la table	les livre**s**, les table**s**	+ *s*
Autres cas		
le fils, le mois, le prix, le riz	les fils, les mois, les prix, les riz	=
le tableau, le chapeau, le cheveu	les tableau**x**, les chapeau**x**, les cheveu**x**	+ *x*
le cheval, le journal	les chev**aux**, les journ**aux**	*-al* → *-aux*

⚠ À l'oral, le singulier et le pluriel se prononcent de la même façon (sauf *-al* → *-aux*). C'est le déterminant ou la liaison qui indique le pluriel.

C LES ADJECTIFS QUALIFICATIFS

1 L'accord en genre et en nombre

Masculin	Féminin	Modification	Oral
rouge, jeune, moderne…	rouge, jeune, moderne…	=	=
noir, espagnol, bleu…	noire, espagnole, bleue…	+ *e*	=
vert, allemand, français…	verte, allemande, française…	+ *e*	+ [t], [d], [z]
italien, américain…	italienne, américaine…	*-ien* → *-ienne* *-ain* → *-aine*	[ɛ̃] → [ɛn]
sportif, neuf…	sportive, neuve…	*-f* → *-ve*	[f] → [v]
cher	chère	*-er* → *-ère*	=
dernier	dernière	*-er* → *-ère*	[e] → [ɛʀ]
heureux	heureuse	*-eux* → *-euse*	[ø] → [øz]

Cas particuliers : *vieux/vieil* → *vieille, beau/bel* → *belle, nouveau/nouvel* → *nouvelle, blanc* → *blanche, bon* → *bonne.*

Le pluriel des adjectifs suit les mêmes règles que le pluriel des noms.

2 La place des adjectifs qualificatifs

Les adjectifs qualificatifs se placent en général **après** le nom :
*un pantalon **rouge**, une ville **française**, un livre **intéressant**.*

Certains adjectifs (*beau, bon, grand, gros, joli, nouveau, petit...*) se placent
avant le nom :
*une **petite** voiture, un **grand** appartement, une **nouvelle** robe.*

D LES ADVERBES

1 Adverbes de fréquence et d'intensité

*Il sort **parfois/souvent/beaucoup/peu**.*

*Ce café est **très/trop/assez** chaud.*

2 Y

Il remplace un complément de lieu introduit par *à, dans, en, sur, sous, chez*, etc. :
– *Tu vas **dans le jardin** ? – Oui, j'**y** vais.*
– *Tu habites **au Canada** ? – Oui, j'**y** habite.*

E LES PRONOMS

1 Les pronoms personnels

Les pronoms suivants représentent exclusivement des personnes, sauf les pronoms
COD *le, la, les.*

Pronoms toniques*	Pronoms sujets	Pronoms réfléchis	Pronoms COD	Pronoms COI
moi	je mange	je **me** lève	tu **m'**écoutes	tu **me** parles
toi	tu manges	tu **te** lèves	je **t'**écoute	je **te** parle
lui/elle	il/elle/on mange	il/elle/on **se** lève	il/elle/on **l'**écoute	il/elle/on **lui** parle
nous	nous mangeons	nous **nous** levons	tu **nous** écoutes	tu **nous** parles
vous	vous mangez	vous **vous** levez	je **vous** écoute	je **vous** parle
eux	ils/elles mangent	ils/elles **se** lèvent	tu **les** écoutes	tu **leur** parles

* On utilise **la forme tonique** :
– pour renforcer le pronom sujet : ***Moi**, je parle et **lui**, il écoute.*
– après une préposition : *Ils mangent chez **eux**.*

2 Le pronom en

Il remplace un nom précédé de l'article partitif ou d'une expression de quantité :
– *Tu veux du pain ? – Oui, j'**en** veux bien.*
– *Tu fais de la gymnastique ? – Oui, j'**en** fais.*
– *Il fait beaucoup de sport ? – Oui, il **en** fait beaucoup.*

3 La place des pronoms

Le pronom se trouve en général **avant** le verbe :
*Tu **me** parles. Tu **leur** as parlé. Tu vas **les** voir. Ne **l'**écoute pas. J'**en** prends.*

⚠ Le pronom se place **après** le verbe à l'impératif positif :
*Parle-**moi**. Regarde-**les**. Prends-**en**.*

LE VERBE

A LA CONJUGAISON

Les verbes contiennent un radical et une terminaison :
*je **march**-e, vous **march**-ez…*

Certains verbes ont plusieurs radicaux :
*je **par**-s, nous **part**-ons*
*je **boi**-s, nous **buv**-ons, ils **boiv**-ent.*

B VALEURS ET EMPLOIS DES TEMPS ET DU MODE IMPÉRATIF

1 Le présent

• Vérité générale : *Tous les hommes **sont** égaux.*

• Action en cours : *Je **lis** (en ce moment).*

• Action habituelle : *Je **déjeune** à une heure (tous les jours).*

• Expression du futur : *Tu **pars** demain ?*

• Ordre : *Tu **ranges** ta chambre !*

2 Le passé composé

• Événement passé (c'est le temps du récit) : *Je **suis sorti** hier.*

3 L'imparfait

• Circonstances d'une action : *Quand il est arrivé, je **lisais**.*

• Description d'un état d'esprit : *Les gens **étaient** heureux.*

• Action passée habituelle : *Je me **levais** (tous les jours) à 7 heures.*

4 Le futur

• Probabilité : *Il **viendra** (peut-être/probablement).*

• Prévision : *Il **fera** beau.*

5 Le mode impératif

- Ordre : *Ne **fumez** pas ici !*
- Conseil, suggestion : ***Offrez**-lui des fleurs !*
- Invitation : ***Entrez**, bienvenue !*

ACCENTS ET SIGNES DE PONCTUATION

A LES QUATRE ACCENTS

- L'accent aigu *(é)* : *l'**été**.*
- L'accent grave *(è, à, ù)* : *m**è**re, l**à**, o**ù**.*
- L'accent circonflexe *(â, ê, î, ô, û)* : ***â**ge, **ê**tre, **î**le, h**ô**tel, co**û**ter.*
- Le tréma *(ï, ë)* : *ma**ï**s, No**ë**l.*

B LES SIGNES ORTHOGRAPHIQUES

- L'apostrophe remplace *a* ou e devant un mot commençant par une voyelle : *l'ami,* **l'***école*.
- La cédille **ç** se prononce [s] : *un gar**ç**on*.
- Le trait d'union :
  – lie des mots *(vingt-trois)* ;
  – divise des mots en fin de ligne entre deux syllabes *(fran-çais)*.

C LES SIGNES DE PONCTUATION

- Le point (.) est à la fin d'une phrase ou dans les abréviations (M. = monsieur).
- La virgule (,) et le point-virgule (;) marquent une pause entre des groupes de mots ou de phrases.
- Le deux-points (:) annonce une explication ou une citation.
- Les guillemets (« ») marquent les énoncés en style direct (dialogue) et les citations.
- Les parenthèses ( ) s'utilisent pour les remarques à mettre à part.
- Le tiret (–) s'utilise dans le style direct (dialogue) et les énumérations.

LA PRONONCIATION DU FRANÇAIS

ALPHABET PHONÉTIQUE

Voyelles			17 consonnes	
• 13 voyelles orales			[b] bout	[n] non
			[s] si	[ɲ] campagne
antérieures	centrales	postérieures	[d] dit	[p] pas
[i] fini	[y] sur	[u] sous	[f] faux	[ʀ] rue
[e] été	[ø] peu	[o] mot	[g] gare	[t] tout
[ɛ] sept	[œ] peur	[ɔ] porte	[ʒ] page	[ʃ] chat
[a] chat, papa			[k] kilo	[v] vous
• 3 voyelles nasales			[l] la	[z] mise
[ɛ̃] pain [ɑ̃] blanc [ɔ̃] bon			[m] maison	
• 3 semi-consonnes				
[j] pied [ɥ] suis [w] oui				

Tableaux de conjugaison

INFINITIF	INDICATIF				IMPÉRATIF
	présent	**passé composé**	**imparfait**	**futur**	**présent**
Être **(auxiliaire)**	je **suis** tu **es** il/elle **est** nous **sommes** vous **êtes** ils/elles **sont**	j'ai été tu as été il/elle a été nous avons été vous avez été ils/elles ont été	j'**ét**ais tu étais il/elle était nous étions vous étiez ils/elles étaient	je **ser**ai tu seras il/elle sera nous serons vous serez ils/elles seront	 sois soyons soyez
Avoir **(auxiliaire)**	j'**ai** tu **as** il/elle **a** nous **av**ons vous **av**ez ils/elles **ont**	j'ai eu tu as eu il/elle a eu nous avons eu vous avez eu ils/elles ont eu	j'**av**ais tu avais il/elle avait nous avions vous aviez ils/elles avaient	j'**aur**ai tu auras il/elle aura nous aurons vous aurez ils/elles auront	 aie ayons ayez
Aller	je **vais** tu **vas** il/elle **va** nous **all**ons vous **all**ez ils/elles **vont**	je **suis allé**(e) tu es allé(e) il/elle est allé(e) nous sommes allé(e)s vous êtes allé(e)s ils/elles sont allé(e)s	j'**all**ais tu allais il/elle allait nous allions vous alliez ils/elles allaient	j'**ir**ai tu iras il/elle ira nous irons vous irez ils/elles iront	 va allons allez
Boire	je **bois** tu bois il/elle boit nous **buv**ons vous buvez ils/elles boivent	j'ai bu tu as bu il/elle a bu nous avons bu vous avez bu ils/elles ont bu	je **buv**ais tu buvais il/elle buvait nous buvions vous buviez ils/elles buvaient	je **boir**ai tu boiras il/elle boira nous boirons vous boirez ils/elles boiront	 bois buvons buvez
Chanter	je **chant**e tu chantes il/elle chante nous chantons vous chantez ils/elles chantent	j'ai chanté tu as chanté il/elle a chanté nous avons chanté vous avez chanté ils/elles ont chanté	je **chant**ais tu chantais il/elle chantait nous chantions vous chantiez ils/elles chantaient	je **chanter**ai tu chanteras il/elle chantera nous chanterons vous chanterez ils/elles chanteront	 chante chantons chantez
Choisir	je **chois**is tu choisis il/elle choisit nous **choisiss**ons vous choisissez ils/elles choisissent	j'ai choisi tu as choisi il/elle a choisi nous avons choisi vous avez choisi ils/elles ont choisi	je **choisiss**ais tu choisissais il/elle choisissait nous choisissions vous choisissiez ils/elles choisissaient	je **choisir**ai tu choisiras il/elle choisira nous choisirons vous choisirez ils/elles choisiront	 choisis choisissons choisissez

INFINITIF	INDICATIF				IMPÉRATIF
	présent	passé composé	imparfait	futur	présent
Connaître	je **connais**	j'**ai connu**	je **connaiss**ais	je **connaîtr**ai	
	tu connais	tu as connu	tu connaissais	tu connaîtras	connais
	il/elle connaît	il/elle a connu	il/elle connaissait	il/elle connaîtra	
	nous **connaiss**ons	nous avons connu	nous connaissions	nous connaîtrons	connaissons
	vous connaissez	vous avez connu	vous connaissiez	vous connaîtrez	connaissez
	ils/elles connaissent	ils/elles ont connu	ils/elles connaissaient	ils/elles connaîtront	
Devoir	je **dois**	j'**ai dû**	je **dev**ais	je **devr**ai	
	tu dois	tu as dû	tu devais	tu devras	*n'existe pas*
	il/elle doit	il/elle a dû	il/elle devait	il/elle devra	
	nous **dev**ons	nous avons dû	nous devions	nous devrons	
	vous devez	vous avez dû	vous deviez	vous devrez	
	ils/elles **doiv**ent	ils/elles ont dû	ils/elles devaient	ils/elles devront	
Écrire	j'**écris**	j'**ai écrit**	j'**écriv**ais	j'**écrir**ai	
	tu écris	tu as écrit	tu écrivais	tu écriras	écris
	il/elle écrit	il/elle a écrit	il/elle écrivait	il/elle écrira	
	nous **écriv**ons	nous avons écrit	nous écrivions	nous écrirons	écrivons
	vous écrivez	vous avez écrit	vous écriviez	vous écrirez	écrivez
	ils/elles écrivent	ils/elles ont écrit	ils/elles écrivaient	ils/elles écriront	
Faire	je **fais**	j'**ai fait**	je **fais**ais	je **fer**ai	
	tu fais	tu as fait	tu faisais	tu feras	fais
	il/elle fait	il/elle a fait	il/elle faisait	il/elle fera	
	nous **fais**ons	nous avons fait	nous faisions	nous ferons	faisons
	vous **faites**	vous avez fait	vous faisiez	vous ferez	faites
	ils/elles **font**	ils/elles ont fait	ils/elles faisaient	ils/elles feront	
Falloir	il **faut**	il **a fallu**	il **fallait**	il **faudr**a	*n'existe pas*
Partir	je **pars**	je **suis parti**(e)	je **part**ais	je **partir**ai	
	tu pars	tu es parti(e)	tu partais	tu partiras	pars
	il/elle part	il/elle est parti(e)	il/elle partait	il/elle partira	
	nous **part**ons	nous sommes parti(e)s	nous partions	nous partirons	partons
	vous partez	vous êtes parti(e)s	vous partiez	vous partirez	partez
	ils/elles partent	il/elles sont parti(e)s	il/elles partaient	il/elles partiront	

INFINITIF	INDICATIF				IMPÉRATIF
	présent	passé composé	imparfait	futur	présent
Pouvoir	je **peux**	j'ai pu	je **pouv**ais	je **pourr**ai	
	tu peux	tu as pu	tu pouvais	tu pourras	*n'existe pas*
	il/elle peut	il/elle a pu	il/elle pouvait	il/elle pourra	
	nous **pouv**ons	nous avons pu	nous pouvions	nous pourrons	
	vous pouvez	vous avez pu	vous pouviez	vous pourrez	
	ils/elles **peuv**ent	ils/elles ont pu	ils/elles pouvaient	ils/elles pourront	
Prendre	je **prend**s	j'ai pris	je **pren**ais	je **prendr**ai	
	tu prends	tu as pris	tu prenais	tu prendras	prends
	il/elle prend	il/elle a pris	il/elle prenait	il/elle prendra	
	nous **pren**ons	nous avons pris	nous prenions	nous prendrons	prenons
	vous prenez	vous avez pris	vous preniez	vous prendrez	prenez
	ils/elles **prenn**ent	ils/elles ont pris	ils/elles prenaient	ils/elles prendront	
Savoir	je **sais**	j'ai su	je **sav**ais	je **saur**ai	
	tu sais	tu as su	tu savais	tu sauras	sache
	il/elle sait	il/elle a su	il/elle savait	il/elle saura	
	nous **sav**ons	nous avons su	nous savions	nous saurons	sachons
	vous savez	vous avez su	vous saviez	vous saurez	sachez
	ils/elles savent	ils/elles ont su	ils/elles savaient	ils/elles sauront	
Venir	je **viens**	je **suis venu**(e)	je **ven**ais	je **viendr**ai	
	tu viens	tu es venu(e)	tu venais	tu viendras	viens
	il/elle vient	il/elle est venu(e)	il/elle venait	il/elle viendra	
	nous **ven**ons	nous sommes venu(e)s	nous venions	nous viendrons	venons
	vous venez	vous êtes venu(e)s	vous veniez	vous viendrez	venez
	ils/elles **vienn**ent	ils/elles sont venu(e)s	ils/elles venaient	ils/elles viendront	
Voir	je **vois**	j'ai vu	je **voy**ais	je **verr**ai	
	tu vois	tu as vu	tu voyais	tu verras	vois
	il/elle voit	il/elle a vu	il/elle voyait	il/elle verra	
	nous **voy**ons	nous avons vu	nous voyions	nous verrons	voyons
	vous voyez	vous avez vu	vous voyiez	vous verrez	voyez
	ils/elles voient	ils/elles ont vu	ils/elles voyaient	ils/elles verront	
Vouloir	je **veux**	j'ai voulu	je **voul**ais	je **voudr**ai	
	tu veux	tu as voulu	tu voulais	tu voudras	veuille
	il/elle veut	il/elle a voulu	il/elle voulait	il/elle voudra	
	nous **voul**ons	nous avons voulu	nous voulions	nous voudrons	
	vous voulez	vous avez voulu	vous vouliez	vous voudrez	veuillez
	ils/elles **veul**ent	ils/elles ont voulu	ils/elles voulaient	ils/elles voudront	

Lexique multilingue

Le lexique répertorie les mots contenus dans les textes, documents et exercices.
Le numéro qui figure à gauche du mot renvoie au numéro de la leçon où le mot apparaît pour la première fois.
La traduction fournie est donc celle de l'acception de ce mot dans le contexte de son premier emploi.
Certains mots « transparents » comme « taxi », mots dont la forme et le sens sont proches de ceux de la langue des apprenants, n'ont pas été répertoriés.

Liste des abréviations

adj.	adjectif	*interj.*	interjection	*n. m.*	nom masculin	*pron.*	pronom	*v. intr.*	verbe intransitif
adv.	adverbe	*lit.*	littéral	*plur.*	pluriel	*v. aux.*	verbe auxiliaire	*pron.*	verbe pronominal
conj.	conjonction	*loc.*	locution	*prép.*	préposition	*v. imp.*	verbe impersonnel	*v. tr.*	verbe transitif
fam.	familier	*n. f.*	nom féminin						

		ANGLAIS	ESPAGNOL	ITALIEN	PORTUGAIS	GREC
4	à bientôt, *loc.*	see you soon	hasta pronto	a presto	até logo	τα λέμε σύντομα, εις το επανιδείν
5	à côté (de), *prép.*	next to	al lado (de)	vicino a	ao lado (de)	δίπλα
30	accident, *n. m.*	accident	accidente	incidente	acidente	ατύχημα
17	acheter, *v. tr.*	to buy	comprar	comprare	comprar	αγοράζω
14	acteur/actrice, *n.*	actor/actress	actor/actriz	attore/attrice	actor/actriz	ηθοποιός
25	activité, *n. f.*	activity	actividad	attività	actividade	δραστηριότητα
25	adorer, *v. tr.*	to adore, love	adorar	adorare	adorar	θαυμάζω
11	agence de voyages, *n. f.*	travel agency	agencia de viajes	agenzia de viaggi	agência de viagens	ταξιδιωτικό πρακτορείο
9	agence immobilière, *n. f.*	estate agent's (office)	agencia immobiliaria	agenzia immobiliare	agência imobiliária	μεσιτικό γραφείο
14	agenda, *n. m.*	diary	agenda	agenda	agenda	ημερολόγιο
10	ah bon ?, *loc.*	really?	¿ah si?	ah sì?	ah é?	άντε!
4	aimer, *v. tr.*	to love	amar	amare	amar	αγαπάω
11	air conditionné, *n. m.*	air conditioning	aire acondicionado	aria condizionata	ar condicionado	κλιματισμός
29	album [de musique], *n. m.*	album	álbum	album	álbum	δίσκος
2	allemand, *adj.*	German	alemán	tedesco	alemão	γερμανικός
3	aller, *v. intr. irr.*	to go	ir	andare	ir	πηγαίνω
13	aller-retour, *n. m.*	return ticket	ida y vuelta	andata e ritorno	bilhete de ida e volta	Εισιτήριο μετ' επιστροφής
33	allumer, *v. tr.*	to turn on	encender	accendere	ligar	ανάβω
3	alors, *adv.*	then	entonces	allora	então	συνεπώς
3	ami(e), *n.*	friend	amigo(a)	amico(a)	amigo(a)	φίλος
31	amour, *n. m.*	love	amor	amore	amor	αγάπη
31	amoureux/amoureuse, *adj.*	in love	enamorado(a)	innamorato(a)	apaixonado(a)	ερωτευμένο/ερωτευμένη
3	an, *n. m.*	year	año	anno	ano	έτος
9	ancien, *adj.*	old	antiguo	antico	antigo	παλιός
19	année, *n. f.*	year	año	annata, anno	ano	χρονιά
23	anniversaire, *n. m.*	birthday	aniversario	compleanno	aniversário	γενέθλια
31	à partir de, *loc.*	(starting) from	a partir de	a partire da	a partir de	από
9	appartement, *n. m.*	flat, apartment	apartamento	appartamento	apartamento	διαμέρισμα
1	appeler (s'), *v. pron.*	to be called	llamar(se)	chiamarsi	chamar(-se)	τηλεφωνώ
31	apprendre, *v. tr. irr.*	to learn	aprender	imparare	aprender	μαθαίνω
10	après, *adv.*	after	después	dopo	depois de	μετά
13	après-midi, *n. m.*	afternoon	tarde	pomeriggio	tarde	απόγευμα
12	aquarium, *n. m.*	aquarium	acuario	acquario	aquário	ενυδρείο
26	argent, *n. m.*	money	dinero	soldi	dinheiro	χρήματα
27	arrêter, *v. tr.*	to stop	parar	fermare	parar	σταματάω
21	arrivée, *n. f.*	arrival	llegada	arrivo	chegada	άφιξη
10	arriver, *v. intr.*	to arrive	llegar	arrivare	chegar	φτάνω
29	article, *n. m.*	article	artículo	articolo	artigo	άρθρο
8	artiste, *n.*	artist	artista	artista	artista	καλλιτέχνης
9	ascenseur, *n. m.*	lift	ascensor	ascensore	elevador	ανελκυστήρας
17	assez, *adv.*	enough	bastante	abbastanza	bastante	αρκετά
5	assiette, *n. f.*	plate	plato	piatto	prato	πιάτο
2	assistant(e), *n.*	assistant	ayudante	assistente	assistente	βοηθός
15	athlétisme, *n. m.*	athletics	atletismo	atletica	atletismo	αθλητισμός
26	attendre, *v. tr. irr.*	to wait	esperar	aspettare	esperar	περιμένω
24	attention (faire), *loc.*	care (take—)	cuidado (tener)	attenzione (fare –)	atenção (prestar)	προσοχή
25	aujourd'hui, *adv.*	today	hoy	oggi	hoje	σήμερα
3	au revoir, *n. m.*	goodbye	adiós	arrivederci	adeus	αντίο
13	aussi, *adv.*	also	también	anche	também	επίσης
30	autoroute, *n. f.*	motorway	autopista	autostrada	auto-estrada	αυτοκινητόδρομος
6	autre, *adj.*	other	otro(a)	altro(a)	outro(a)	άλλο
24	avant, *adv.*	before	delante	prima	antes	πριν
26	avantage, *n. m.*	advantage	ventaja	vantaggio	vantagem	πλεονέκτημα
9	avec, *prép.*	with	con	con	com	με, μαζί με
35	avec plaisir, *loc.*	with pleasure	con mucho gusto	con piacere	com prazer	ευχαρίστως
34	avenir, *n. m.*	future	porvenir	avvenire, futuro	futuro	μέλλον
9	avenue, *n. f.*	avenue	avenida	viale, corso	avenida	λεωφόρος

12	**avion**, *n. m.*	aeroplane	avión	aereo	avião	αεροπλάνο
3	**avoir**, *v. aux.*	to have	haber/tener	avere	ter	έχω

B

34	**bac(calauréat)**, *n. m.*	high school diploma/A-levels	bachillerato	maturità	décimo segundo ano	απολυτήριο λυκείου
2	**badge**, *n. m.*	badge	tarjeta de identificación	lasciapassare, pass	crachá	σήμα
32	**baguette**, *n. f.*	French stick	barra de pan	sfilatino	pão fino e comprido	μπαγκέτα
27	**baigner (se)**, *v. pron.*	to bathe	bañar(se)	farsi il bagno	banhar(-se)	κάνω μπάνιο
10	**banque**, *n. f.*	bank	banco	banca	banco	τράπεζα
6	**baskets**, *n. f. plur.*	trainers	zapatillas de deporte	scarpe da ginnastica	ténis	αθλητικά παπούτσια
12	**bateau**, *n. m.*	boat	barco	barca	barco	πλοίο
18	**beau/belle**, *adj.*	handsome/beautiful	guapo(a)	bello(a)	belo(a)	όμορφος/όμορφη
4	**beaucoup**, *adv.*	a lot	mucho	molto	muito	πολύ
3	**bébé**, *n. m.*	baby	bebé	neonato	bebé	μωρό
2	**belge**, *adj.*	Belgian	belga	belga	belga	βέλγικος
17	**beurre**, *n. m.*	butter	mantequilla	burro	manteiga	βούτυρο
3	**bien**, *adv.*	well	bien	bene	bem	καλά
10	**bien sûr**, *loc.*	of course	por supuesto	certo, certamente	claro	βεβαίως
12	**billet**, *n. m.*	ticket	billete	biglietto	bilhete	εισιτήριο
12	**bise**, *n. f.*	love [*lit.* "kiss"]	beso	un bacio	beijinho	φιλί
19	**bisous**, *n. m. plur.*	love [*lit.* "kisses"]	besos	baci	beijinhos	φιλάκι
6	**blanc(he)**, *adj.*	white	blanco(a)	bianco(a)	branco(a)	λευκός/λευκή
30	**blessé(e)**, *n.*	injured person, casualty	herido(a)	ferito(a)	ferido(a)	τραυματισμένος
6	**bleu**, *adj.*	blue	azul	blu	azul	μπλε
6	**blond**, *adj.*	blond	rubio	biondo	louro	ξανθός
5	**blouson**, *n. m.*	jacket	cazadora	giubbotto	blusão	μπουφάν
17	**boire**, *v. tr. irr.*	to drink	beber	bere	beber	πίνω
15	**boîte**, *n. f.*	night club	discoteca	discoteca	discoteca	κέντρο διασκέδασης
18	**bon**, *adj.*	good	bueno	buono	bom	καλός
7	**bon de commande**, *n. m.*	order form	hoja de pedido	buono d'ordine	ordem de encomenda	δελτίο παραγγελίας
1	**bonjour**, *interj.*	hello	buenos días	buongiorno	bom dia	καλημέρα
20	**bonne année**, *n. f.*	Happy New Year	Feliz Año	buon anno	bom ano	καλή χρονιά
3	**bonne journée**, *n. f.*	good day	buenos días	buona giornata	bom dia	καλημέρα
3	**bonne nuit**, *n. f.*	goodnight	buenas Noches	buona notte	boa noite	καληνύχτα
35	**bouche**, *n. f.*	mouth	boca	bocca	boca	στόμα
4	**boulanger/boulangère**, *n.*	baker	panadero(a)	panettiere(a)	padeiro(a)	φούρναρης/φουρνάρισσα
34	**boulot**, *n. m. + fam.*	job	trabajo	lavoro	trabalho	δουλειά
17	**bouteille**, *n. f.*	bottle	botella	bottiglia	garrafa	μπουκάλι
7	**boutique**, *n. f.*	shop, boutique	tienda	negozio	loja	κατάστημα
5	**bravo**, *interj.*	well done!	bravo	bravo(a)	bravo	συγχαρητήρια
27	**bref**, *adv.*	in a word	breve	breve	em resumo	εν συντομία
33	**briller**, *v. intr.*	to shine	brillar	brillare	brilhar	λάμπω
6	**brun**, *adj.*	brown	moreno	bruno	moreno, castanho	καστανός
9	**bruyant**, *adj.*	noisy	ruidoso	rumoroso	barulhento	θορυβώδης
33	**bulletin météo**, *n. m.*	weather report	información metereológica	bollettino meteorologico	boletim meteorológico	μετεωρολογική πρόβλεψη
2	**bureau**, *n. m.*	office	oficina	ufficio	escritório	γραφείο
9	**bureau [meuble]**, *n. m.*	desk	escritorio	scrivania	secretária	γραφείο
10	**bus**, *n. m.*	bus	autobús	autobus	autocarro	λεωφορείο

C

14	**cabinet**, *n. m.*	cabinet, firm	gabinete	studio	gabinete, escritório	γραφείο (εταιρείας)
18	**cadeau**, *n. m.*	present, gift	regalo	regalo	presente	δώρο
2	**café**, *n. m.*	coffee [drink], café [place]	café	caffè	café	καφές
9	**calme**, *adj.*	calm, quiet	tranquilo(a)	quieto(a)	quieto(a)	ήσυχος
27	**calmer (se)**, *v. pron.*	to calm down	calmar (se)	calmarsi	acalmar(-se)	ηρεμώ
30	**camion**, *n. m.*	lorry	camión	camion	camião	φορτηγό
15	**campagne**, *n. f.*	country	campo	campagna	campo	εξοχή
27	**camping**, *n. m.*	camping, campsite	camping	campeggio	campismo	κάμπινγκ
2	**candidat(e)**, *n.*	candidate	candidato(a)	candidato	candidato(a)	υποψήφιος
11	**carte**, *n. f.*	map	tarjeta	cartina, mappa	mapa	χάρτης
16	**carte à jouer**, *n. f.*	playing card	carta para jugar	carta da gioco	carta de baralho	τράπουλα
2	**carte de visite**, *n. f.*	visiting card	tarjeta de visita	biglietto da visita	cartão de visita	επαγγελματική κάρτα
12	**carte postale**, *n. f.*	postcard	tarjeta postal	cartolina postale	cartão postal	καρτ ποστάλ
31	**casting**, *n. m.*	casting	casting/selección	casting, provino	audição	κάστινγκ
32	**célèbre**, *adj.*	famous	célèbre	famoso, celebre	célebre	διάσημος
16	**céréales**, *n. f. plur.*	cereals	cereales	cereali	cereais	δημητριακά
33	**certain**, *adj.*	certain	cierto	certo	certo	βέβαιος
33	**certainement**, *adv.*	certainly	ciertamente	certamente	certamente	βεβαίως
5	**chaise**, *n. f.*	chair	silla	sedia	cadeira	καρέκλα
3	**chambre**, *n. f.*	bedroom	habitación	camera	quarto	δωμάτιο
33	**chance**, *n. f.*	chance, luck	suerte	fortuna	sorte	τύχη
35	**changement**, *n. m.*	change	cambio	cambiamento	mudança, troca	αλλαγή
26	**changer**, *v. tr.*	to change	cambiar	cambiare	mudar, trocar	αλλάζω
29	**chanson**, *n. f.*	song	canción	canzone	canção	τραγούδι
5	**chapeau**, *n. m.*	hat	sombrero	cappello	chapéu	καπέλο
5	**chat(te)**, *n.*	cat	gato(a)	gatto(a)	gato(a)	γάτος/γάτα
12	**château**, *n. m.*	castle	castillo	castello	castelo	κάστρο
29	**chaton**, *n. m.*	kitten	gatito	gattino	gatinho	γατάκι

18	chaud, adj.	warm, hot	caliente	caldo	quente	ζεστός
6	chaussures, n. f. plur.	shoes	zapatos	scarpe	sapatos	παπούτσια
35	cheminée, n. f.	fireplace, chimney	chimenea	camino	lareira	καπνοδόχος
6	chemise, n. f.	shirt	camisa	camicia	camisa	πουκάμισο
7	cher/chère, adj.	expensive	querido(a)	caro(a)	caro(a)	αγαπητός/αγαπητή
4	chercher, v. tr.	to search for	buscar	cercare	procurar	ψάχνω
24	cheveux, n. m. plur.	hair	pelo, cabello	capelli	cabelo(s)	μαλλιά
9	chez, prép.	at (someone's place)	en casa de	presso	em casa de	στο σπίτι κάποιου/στο μαγαζί κάποιου
21	chien(ne), n.	dog	perro(a)	cane/cagna	cão/cadela	σκύλος/σκύλα
2	chinois, adj.	Chinese	chino	cinese	chinês(a)	κινέζικος
21	chocolat, n. m.	chocolate	chocolate	cioccolato	chocolate	σοκολάτα
23	choisir, v. tr.	to choose	escoger	scegliere	escolher	επιλέγω
6	chose, n. f.	thing	cosa	cosa	coisa	πράγμα
17	cidre, n. m.	cider	sidra	sidro	sidra	μηλίτης
30	circonstance, n. f.	circumstance	circunstancia	circostanza	circunstância	περίσταση
11	circuit, n. m.	tour, trip	circuito	circuito	circuito	σιρκουί, δρομολόγιο
9	clair, adj.	bright	claro	chiaro	claro(a)	σαφής
21	classe, n. f.	class	aula	classe	classe	τάξη
3	clé, n. f.	key	llave	chiave	chave	κλειδί
1	club, n. m.	club	club	club	clube	κλαμπ
14	coiffure, n. f.	hairdo	peinado	pettinatura	penteado	χτένισμα
8	coin, n. m.	corner	rincón	angolo	recanto	γωνία
23	collègue, n.	colleague	colega	collega	colega	συνάδελφος
29	comme, adv.	as, like	cómo	come	como	όπως
14	commencer, v. tr. irr.	to begin	comenzar	cominciare, iniziare	começar	ξεκινάω
3	comment, adv.	how	como	come	como	πως, με ποιο τρόπο
13	complet, adj.	full	completo	completo	completo, esgotado	πλήρης
26	comprendre, v. tr. irr.	to understand	comprender	capire, comprendere	compreender	καταλαβαίνω
17	confiture, n. f.	jam	mermelada	marmellata	doce, marmelada	μαρμελάδα
23	connaître, v. tr. irr.	to know	conocer	conoscere	conhecer	γνωρίζω
26	connaître (se), v. pron. irr.	to know each other	conocer (se)	conoscersi	conhecer-se	γνωρίζομαι
11	conseil, n. m.	advice	consejo	consiglio	conselho	συμβουλή
32	construction, n. f.	construction	construcción	costruzione	construção	κατασκευή
22	contacter, v. tr.	to contact	contactar	contattare	contactar	επικοινωνώ
10	continuer, v. tr.	to continue	continuar	proseguire, continuare	continuar	συνεχίζω
5	contre, prép.	against	contra	contro	contra	έναντι
20	copain/copine, n.	friend	amigo(a)	amico(a)	amigo(a)	φίλος/φίλη
29	corps, n. m.	body	cuerpo	corpo	corpo	σώμα
32	coq, n. m.	cock	gallo	gallo	galo	κόκορας
24	correctement, adv.	correctly	correctamente	correttamente	correctamente	σωστά
4	correspondant(e), n.	correspondent, pen-friend	persona con la que uno se cartea	corrispondente	correspondente	αλληλογραφών
6	couleur, n. f.	colour	color	colore	cor	χρώμα
9	couloir, n. m.	corridor	pastillo	corridoio	corredor	διάδρομος
2	cours, n. m.	lesson	curso	corso	curso, aula	μάθημα
15	courses (faire les –), loc.	shopping (to do the—)	compra (hacer la)	spesa (fare la –)	compras (fazer as)	ψώνια (κάνω)
24	court(e), adj.	short	corto(a)	breve, corto	curto(a)	κοντός
7	coûter, v. intr.	to cost	costar	costare	custar	κοστίζω
17	crêpe, n. f.	pancake	crepe	crêpe	crepe	κρέπα
33	croire, v. tr./intr.	to believe	creer	credere	acreditar	πιστεύω
32	croissant, n. m.	croissant	croisant	cornetto	croissant	κρουασάν
9	cuisine, n. f.	kitchen	cocina	cucina	cozinha	κουζίνα
28	culturel, adj.	cultural	cultural	culturale	cultural	πολιτιστικός
35	d'abord, adv.	first of all	primero	prima	primeiramente	αρχικά
6	d'accord, adv.	alright, OK	de acuerdo	d'accordo	de acordo	εντάξει
5	dans, prép.	in, inside	en	nel, in	dentro de	μέσα
4	danse, n. f.	dancing, dance	danza	ballo, danza	dança	χορός
31	de… à …, prép.	from… to…	de… a…	da… a…	de… a…	από… έως
34	débarrasser (se), v. pron.	to get rid of	deshacerse	sbarazzarsi	livrar(-se)	ξεφορτώνομαι
33	degré, n. m.	degree	grado	grado	grau	βαθμός
22	déjà, adv.	already	ya	già	já	ήδη
15	déjeuner, n. m.	lunch	desayuno	pranzo	almoço	γεύμα
33	demain, adv.	tomorrow	mañana	domani	amanhã	αύριο
29	demander, v. tr.	to ask	pedir	chiedere, domandare	perguntar, pedir	ζητάω
2	dentiste, n.	dentist	dentista	dentista	dentista	οδοντίατρος
13	départ, n. m.	departure	salida	partenza	partida	αναχώρηση
35	dépense, n. f.	expense	gasto	spesa	despesa	έξοδο
19	descendre, v. tr./intr. irr.	to go down	bajar	scendere	descer	κατεβαίνω
13	désolé, adj.	sorry	lo siento	spiacente	lamento	λυπημένος
18	dessert, n. m.	dessert	postre	dessert, dolce	sobremesa	επιδόρπιο
12	destination, n. f.	destination	destino	destinazione	destino	προορισμός
16	détendre (se), v. pron. irr.	to relax	relajar (se)	distendersi	descontrair(-se)	χαλαρώνω
25	détester, v. tr.	to hate	detestar	detestare	detestar	μισώ
13	deuxième classe, n. f.	second class	segunda clase	seconda classe	segunda classe	δεύτερη τάξη

19	**devenir**, *v. intr. irr.*	to become	llegar a ser	diventare, divenire	tornar-se	γίνομαι
36	**différence**, *n. f.*	difference	diferencia	differenza	diferença	διαφορά
16	**difficile**, *adj.*	difficult	difícil	difficile	difícil	δύσκολος
13	**dimanche**, *n. m.*	Sunday	domingo	domenica	domingo	Κυριακή
17	**dîner**, *n. m.*	dinner	cenar	cena	jantar	δείπνο
18	**dîner**, *v. intr.*	to have dinner	cenar	cenare	jantar	δειπνώ
22	**dire**, *v. tr. irr.*	to say	decir	dire	dizer	λέω
10	**direct**, *adj.*	direct	directo	diretto	directo(a)	άμεσος, ευθύς
2	**directeur/directrice**, *n.*	director, manager/ manageress	director(a)	direttore/direttrice	director(a)	διευθυντής/διευθύντρια
18	**dis donc**, *loc.*	really!	de verdad	veramente	caramba!	έλα!
25	**discothèque**, *n. f.*	disco	discoteca	discoteca	discoteca	δισκοθήκη
14	**docteur**, *n. m.*	doctor	doctor	dottore	doutor	γιατρός
36	**document**, *n. m.*	document	documento	documento	documento	έγγραφο
14	**donc**, *conj.*	so	entonces	dunque	pois	λοιπόν
21	**donner**, *v. tr.*	to give	dar	dare	dar	δίνω
15	**dormir**, *v. intr.*	to sleep	dormir	dormire	dormir	κοιμάμαι
9	**douche**, *n. f.*	shower	ducha	doccia	duche	ντους
5	**droite (à)**, *loc.*	right (to the)	la derecha (a)	destra (a)	(à) direita	δεξιά
22	**dynamique**, *adj.*	dynamic	dinámico	dinamico	dinâmico	δυναμικός

E

17	**eau minérale**, *n. f.*	mineral water	agua mineral	acqua minerale	água mineral	μεταλλικό νερό
22	**école**, *n. f.*	school	escuela	scuola	escola	σχολείο
15	**écouter**, *v. tr.*	to listen (to)	escuchar	ascoltare	escutar	ακούω
15	**écrire**, *v. tr. irr.*	to write	escribir	scrivere	escrever	γράφω
8	**écrivain**, *n. m.*	writer, author	escritor	scrittore/scrittrice	escritor(a)	συγγραφέας
34	**embrasser**, *v. tr.*	to kiss, embrace	besar	baciare	beijar	φιλάω
13	**employé(e)**, *n.*	employee	empleado(a)	dipendente	empregado(a)	υπάλληλος
16	**endormir (s')**, *v. pron.*	to fall asleep	dormir (se)	addormentarsi	adormecer	αποκοιμάμαι
29	**enfance**, *n. f.*	childhood	infancia	infanzia	infância	παιδική ηλικία
15	**enfant**, *n. m.*	child	niño	bambino	criança	παιδί
27	**enfin**, *adv.*	lastly, at last	por fin, en fin	finalmente, alla fine	enfim	επιτέλους
15	**en général**, *loc.*	in general	en general	in generale	em geral	γενικά
36	**en moyenne**, *loc.*	on average	la media	in media	em média	κατά μέσο όρο
27	**ennuyer (s')**, *v. pron.*	to get bored	aburrir (se)	annoiarsi	aborrecer(-se)	βαριέμαι
20	**enquête**, *n. f.*	inquiry	investigación	inchiesta	investigação	έρευνα
26	**ensemble**, *adv.*	together	juntos	insieme	junto	μαζί
10	**ensuite**, *adv.*	then, next	enseguida	in seguito	em seguida	στη συνέχεια
16	**entraînement**, *n. m.*	training	entrenamiento	allenamento	treino	προπόνηση
16	**entraîner (s')**, *v. pron.*	to train	entrenar (se)	allenarsi	treinar	προπονούμαι
9	**entrée**, *n. f.*	entrance, hall	entrada	ingresso	entrada, hall	είσοδος
24	**entreprise**, *n. f.*	company	empresa	impresa, azienda	empresa	επιχείρηση
10	**entrer**, *v. intr.*	to enter, go in	entrar	entrare	entrar	μπαίνω
22	**entretien**, *n. m.*	interview	entrevista	colloquio	entrevista	συνέντευξη
35	**envie de (avoir –)**, *loc.*	to want	ganas de (tener)	voglia di (avere –)	vontade de (ter –)	επιθυμώ
29	**époque**, *n. f.*	era	época	epoca	época	εποχή
33	**erreur**, *n. f.*	mistake	error	errore	erro	λάθος, σφάλμα
26	**espace vert**, *n. m.*	park	jardín	spazi verdi	spazio verde	πάρκο
2	**espagnol**, *adj.*	Spanish	español	spagnolo	espanhol(a)	ισπανικός
34	**essayer**, *v. tr.*	to try	tratar	provare	tentar	προσπαθώ
11	**est**, *n. m.*	east	este	est	leste	δύση
2	**et**, *conj.*	and	y	e	e	και
9	**étage**, *n. m.*	floor	piso	piano	andar	όροφος
5	**étagère**, *n. f.*	shelf	estantería	mensola	prateleira	εταζέρα
22	**étranger/étrangère**, *n.*	foreigner, stranger	extranjero(a)	straniero(a)	estrangeiro(a)	ξένος/ξένη
1	**être**, *v. aux. irr.*	to be	ser	essere	ser	είμαι
1	**étudiant(e)**, *n.*	student	estudiante	studente/studentessa	estudante	φοιτητής
16	**éviter**, *v. tr.*	to avoid	evitar	evitare	evitar	αποφεύγω
24	**exactement**, *adv.*	exactly	exactamente	esattamente	exactamente	ακριβώς
18	**excellent**, *adj.*	excellent	excelente	eccellente	excelente	τέλειος, άριστος
21	**excusez-moi**, *loc.*	excuse me	perdón	scusami	desculpe-me	με συγχωρείτε
20	**exister**, *v. intr.*	to exist	existir	esistere	existir	υπάρχω
22	**expérience**, *n. f.*	experience	experiencia	esperienza	experiência	εμπειρία

F

32	**fabriquer**, *v. tr.*	to manufacture	fabricar	fabbricare	fabricar	κατασκευάζω
20	**fac(ulté)**, *n. f.*	faculty, university	facultad	facoltà	faculdade	τμήμα πανεπιστημίου
34	**facile**, *adj.*	easy	fácil	facile	fácil	εύκολος
35	**facilement**, *adv.*	easily	fácilmente	facilmente	facilmente	εύκολα
14	**faire**, *v. tr. irr.*	to do, make	hacer	fare	fazer	κάνω
24	**familier**, *adj.*	familiar	familiar	familiare	coloquial	οικείος
16	**famille**, *n. f.*	family	familia	famiglia	família	οικογένεια
29	**fan**, *n.*	fan	fan	fan	fãn	οπαδός
36	**fantastique**, *adj.*	fantastic	fantástico	fantastico	fantástico	φανταστικός
17	**farine**, *n. f.*	flour	harina	farina	farinha	αλεύρι
26	**fatigué**, *adj.*	tired	cansado	stanco	cansado(a)	κουρασμένος
5	**fauteuil**, *n. m.*	armchair	sillón	poltrona	poltrona	πολυθρόνα
34	**félicitations**, *n. f. plur.*	congratalations	felicitaciones	congratulazioni	parabéns	συγχαρητήρια
1	**femme**, *n. f.*	woman, wife	mujer, esposa	donna, moglie	mulher, esposa	γυναίκα, σύζυγος

	French	English	Spanish	Italian	Portuguese	Greek
5	fenêtre, n. f.	window	ventana	finestra	janela	παράθυρο
20	fête, n. f.	celebration, party	fiesta	festa	festa	γιορτή
20	feu d'artifice, n. m.	fireworks	fuegos artificiales	fuoco d'artificio	fogo de artifício	πυροτέχνημα
5	fille, n. f.	girl, daughter	hija, chica	ragazza	rapariga, filha	κορίτσι
5	fleur, n. f.	flower	flor	fiore	flor	λουλούδι
19	fois, n. f.	time	vez	volta	vez	φορά
16	folie, n. f.	excess	locura	follia, pazzia	loucura	τρέλα
4	football, n. m.	football	fútbol	calcio	futebol	ποδόσφαιρο
15	footing, n. m.	jogging	footing	footing, jogging	jogging	τζόγκινγκ
1	français, adj.	French	francés	francese	francês/francesa	γαλλικός
4	frère, n. m.	brother	hermano	fratello	irmão	αδελφός
17	fromage, n. m.	cheese	queso	formaggio	queijo	τυρί
16	fruit, n. m.	fruit	fruta	frutto	fruta	φρούτο
26	gagner, v. tr.	to earn	ganar	guadagnare	ganhar	κερδίζω
3	garçon, n. m.	boy	muchacho	ragazzo	rapaz	αγόρι
13	gare, n. f.	station	estación	stazione	estação	σταθμός
20	gâteau, n. m.	cake	pastel	torta, dolce	bolo	γλυκό
5	gauche (à), loc.	left (to the)	la izquierda (a)	sinistra (a)	(à) esquerda	αριστερά
27	glace, n. f.	ice-cream	helado	gelato	gelado	παγωτό, πάγος
30	glissant, adj.	slippery	resvaladizo	sdrucciolevole	escorregadio(a)	γλιστερός
4	golf, n. m.	golf	golfo	golf	golfe	γκολφ
23	goût, n. m.	taste	gusto	gusto	gosto	γούστο, γεύση
17	gramme, n. m.	gram	gramo	grammo	grama	γραμμάριο
6	grand, adj.	tall, big	grande	grande	grande	μεγάλος
29	grand-mère, n. f.	grandmother	abuela	nonna	avó	γιαγιά
29	grand-père, n. m.	grandfather	abuelo	nonno	avô	παππούς
12	gratuit, adj.	free	gratuito	gratuito, gratis	gratuito(a)	δωρεάν
7	gris, adj.	grey	gris	grigio	cinzento(a)	γκρίζος
32	guerre, n. f.	war	guerra	guerra	guerra	πόλεμος
14	guitare, n. f.	guitar	guitarra	chitarra	guitarra	κιθάρα
4	guyannais, adj.	Guyanese	guyanés	della Guyana	guianense	από την Γκουϊάνα
15	gymnastique, n. f.	gymnastics	gimnasia	ginnastica	ginástica	γυμναστική
15	habiller (s'), v. pron.	to dress, get dressed	vestir (se)	vestirsi	vestir(-se)	ντύνομαι
2	habiter, v. tr./intr.	to live	vivir	abitare	morar	κατοικώ, μένω
27	habitude, n. f.	habit	costumbre	abitudine	hábito	συνήθεια
16	habituel, adj.	usual	habitual	solito	habitual	συνήθης
32	haute couture, n. f.	high fashion	alta costura	alta moda	alta costura	υψηλή ραπτική
11	hélicoptère, n. m.	helicopter	helicóptero	elicottero	helicóptero	ελικόπτερο
13	heure, n. f.	hour, time	hora	ora	hora	ώρα
29	heureux, adj.	happy	feliz	felice	feliz	ευτυχισμένος
30	heurter, v. tr.	to hit	chocar	urtare	chocar, bater	χτυπάω, προσκρούω
18	hier, adv.	yesterday	ayer	ieri	ontem	χτες
31	histoire, n. f.	story	historia	storia	história	ιστορία
1	homme, n. m.	man	hombre	uomo	homem	άντρας
13	horaire, n. m.	timetable	horario	orario	horário	ωράριο
3	hôtel, n. m.	hotel	hotel	albergo, hotel	hotel	ξενοδοχείο
12	hôtel de ville, n. m.	town hall	alcaldía	municipio	câmara municipal	δημαρχείο
26	ici, adv.	here	aquí	qui, qua	aqui	εδώ
24	idéal, adj.	ideal	ideal	ideale	ideal	ιδανικός
23	idée, n. f.	idea	idea	idea	ideia	ιδέα
17	il faut, v. imp.	it is necessary, must	hay que	bisogna	é preciso	πρέπει
5	il y a, v. imp.	there is/are	hay	c'è/ci sono	há	υπάρχει
11	île, n. f.	island	isla	isola	ilha	νησί
24	imaginer, v. tr.	to imagine	imaginar	immaginare	imaginar	φαντάζομαι
9	immeuble, n. m.	building	edificio	stabile, edificio	edifício	κτίριο
22	important, adj.	important	importante	importante	importante	σημαντικός
26	inconvénient, n. m.	disadvantage	inconveniente	svantaggio	desvantagem	μειονέκτημα
22	indispensable, adj.	essential, vital	indispensable	indispensabile	indispensável	απαραίτητος
14	informaticien(ne), n.	computer analyst	informático(a)	informatico	técnico de informática	που ασχολείται με την πληροφορική
33	inquiéter (s'), v. pron.	to worry	preocupar (se)	preoccuparsi	inquietar(-se)	ανησυχώ
18	inspecteur/inspectrice, n.	inspector	inspector(a)	ispettore/ispettrice	inspector(a)	επιθεωρητής/επιθεωρήτρια
35	installer, v. tr.	to install, put in	instalar	istallare	instalar	εγκαθιστώ
22	institut, n. m.	institute	instituto	istituto	instituto	ινστιτούτο
21	interdire, v. tr. irr.	to forbid	prohibir	proibire, vietare	proibir	απαγορεύω
12	intéressant, adj.	interesting	interesante	interessante	interessante	ενδιαφέρον
29	interview, n. f.	interview	entrevista	intervista	entrevista	συνέντευξη
17	inviter, v. tr.	to invite	invitar	invitare	convidar	προσκαλώ
23	invité(e), n.	guest	invitado	invitato	convidado(a)	προσκεκλημένος
1	italien, adj.	Italian	italiano	italiano	italiano(a)	ιταλικός
4	ivoirien, adj.	from the Ivory Coast	marfileño	della Costa d'avorio	marfinense	από την Ακτή
2	japonais, adj.	Japanese	japonés	giapponese	japonês/japonesa	ιαπωνικός
10	jardin, n. m.	garden	jardín	giardino	jardim	κήπος
6	jaune, adj.	yellow	amarillo	giallo	amarelo(a)	κίτρινος
6	jean, n. m.	(pair of) jeans	pantalones vaqueros	jeans	calças de ganga	τζιν (ύφασμα)
13	jeudi, n. m.	Thursday	jueves	giovedì	quinta-feira	πέμπτη

	Français	English	Español	Italiano	Português	Ελληνικά
7	**joli**, adj.	pretty	bonito	grazioso	bonito(a)	όμορφος
15	**jouer**, v. intr.	to play	jugar	giocare	jogar, brincar	παίζω
29	**jouet**, n. m.	toy	juguete	giocattolo	brinquedo	παιχνίδι
11	**jour**, n. m.	day	día	giorno	dia	ημέρα
14	**journal**, n. m.	newspaper	periódico	giornale	jornal	εφημερίδα
18	**journal intime**, n. m.	private diary	diario	diario	diário	ημερολόγιο
30	**journaliste**, n.	journalist	periodista	giornalista	jornalista	δημοσιογράφος
15	**journée**, n. f.	day	jornada, día	giornata	dia	ημέρα
31	**jupe**, n. f.	skirt	falda	gonna	saia	φούστα
16	**jus**, n. m.	juice	zumo	succo	sumo	χυμός
10	**jusqu'à**, loc.	until	hasta	fino a	até	έως
31	**jusqu'en**, loc.	until	hasta	fino a	até	έως
11	**juste**, adv.	just	justo	giusto	só, precisamente	μόνο

K

	Français	English	Español	Italiano	Português	Ελληνικά
17	**kilogramme**, n. m.	kilogram	kilogramo	chilogrammo	quilograma	κιλό
12	**kilomètre**, n. m.	kilometre	kilómetro	chilometro	quilómetro	χιλιόμετρο

L

	Français	English	Español	Italiano	Português	Ελληνικά
10	**là**, adv.	there	ahí	là, lì	aqui, lá	εκεί
19	**là-bas**, adv.	over there	allí	laggiù	ali, acolá	εκεί
23	**laisser**, v. tr.	to leave	dejar	lasciare	deixar	αφήνω
17	**lait**, n. m.	milk	leche	latte	leite	γάλα
22	**langue**, n. f.	language	lengua	lingua	língua	γλώσσα
15	**laver (se)**, v. pron.	to wash, get washed	lavar (se)	lavarsi	lavar(-se)	πλένομαι
4	**lecture**, n. f.	reading	lectura	lettura	leitura	ανάγνωση
17	**légumes**, n. m. plur.	vegetables	verduras	verdure	legumes	λαχανικά
22	**lettre**, n. f.	letter	carta	lettera	carta	γράμμα
16	**libre**, adj.	free	libre	libero	livre	ελεύθερος
23	**lieu**, n. m.	place	lugar	luogo	lugar	χώρος, μέρος
10	**ligne** [de métro], n. f.	line	línea	linea	linha	γραμμή
15	**lire**, v. tr. irr.	to read	leer	leggere	ler	διαβάζω
17	**liste**, n. f.	list	lista	lista	lista	λίστα, κατάλογος
8	**lit**, n. m.	bed	cama	letto	cama	κρεβάτι
17	**litre**, n. m.	litre	litro	litro	litro	λίτρο
4	**littérature**, n. f.	literature	literatura	letteratura	literatura	λογοτεχνία
5	**livre**, n. m.	book	libro	libro	livro	βιβλίο
17	**livre** [poids], n. f.	pound	libra	libbra	libra	λίβρα
17	**location**, n. f.	rented accomodation	alquiler	affitto	alojamento arrendado	ενοικίαση
10	**loin**, adv.	far	lejos	lontano	longe	μακριά
16	**long**, adj.	long	largo	lungo	longo(a)	μακρύς
34	**longtemps**, adv.	long time	mucho tiempo	molto tempo, a lungo	muito tempo	για πολύ καιρό
9	**louer**, v. tr.	to rent	alquilar	affittare	alugar	νοικιάζω
13	**lundi**, n. m.	Monday	lunes	lunedì	segunda-feira	Δευτέρα
6	**lunettes**, n. f. plur.	glasses	gafas	occhiali	óculos	γυαλιά

M

	Français	English	Español	Italiano	Português	Ελληνικά
1	**madame**, n. f.	madam	señora	signora	senhora	κυρία
18	**magasin**, n. m.	shop	tienda	negozio, magazzino	loja	κατάστημα
25	**magazine**, n. m.	magazine	revista	rotocalco, rivista	revista	περιοδικό
19	**magnifique**, adj.	magnificent	magnífico	magnifico	magnífico(a)	φανταστικός
3	**maintenant**, adv.	now	ahora	adesso, ora	agora	τώρα
14	**mais**, conj.	but	pero	ma	mas	ωστόσο
18	**maison**, n. f.	house	casa	casa	casa	σπίτι
29	**malade**, adj.	ill, sick	enfermo	malato	doente	άρρωστος
1	**maman**, n. f.	mummy	mamá	mamma	mamã	μητέρα
17	**manger**, v. tr.	to eat	comer	mangiare	comer	τρώω
6	**manteau**, n. m.	coat	abrigo	cappotto	casaco	παλτό
15	**marché**, n. m.	market	mercado	mercato	mercado	λαϊκή αγορά
19	**marcher**, v. intr.	to walk	caminar	camminare	andar	περπατώ
13	**mardi**, n. m.	Tuesday	martes	martedì	terça-feira	Τρίτη
17	**mardi gras**, n. m.	Shrove Tuesday	martes de carnaval	martedì grasso	Terça-feira de Carnaval	Καθαρή Δευτέρα
1	**mari**, n. m.	husband	marido	marito	marido	σύζυγος
20	**mariage**, n. m.	marriage	boda	matrimonio	casamento	γάμος
26	**marier (se)**, v. pron.	to get married	casar (se)	sposarsi	casar(-se)	παντρεύομαι
16	**match**, n. m.	match	partido	partita	jogo	αγώνας
24	**matériel informatique**, n. m.	computer hardware	material de informática	materiale informatico	material informático	εξοπλισμός πληροφορικής
13	**matin**, n. m.	morning	mañana	mattino	manhã	πρωί
23	**mauvais**, adj.	bad	malo	cattivo	mau(má)	κακός
21	**médecin**, n. m.	doctor	médico	medico	médico(a)	γιατρός
9	**meilleures salutations**, loc.	best wishes	un cordial saludo	distinti saluti	respeitosos cumprimentos	φιλικοί χαιρετισμοί
36	**même**, adj.	same	mismo(a)	stesso(a)	mesmo(a)	το ίδιο
15	**ménage (faire le –)**, loc.	housework (to do the—)	limpiar	lavori domestici (fare i –)	limpeza (fazer a –)	φασίνα (κάνω –)
11	**mer**, n. f.	sea	mar	mare	mar	θάλασσα
3	**merci**, interj.	thank you	gracias	grazie	obrigado(a)	ευχαριστώ
13	**mercredi**, n. m.	Wednesday	miércoles	mercoledì	quarta-feira	Τετάρτη
4	**mère**, n. f.	mother	madre	madre	mãe	μητέρα
33	**météo**, n. f.	weather	meteorología	meteorologia	meteorologia	καιρός
9	**mètre carré**, n. m.	square metre	metro cuadrado	metro quadrato	metro quadrado	τετραγωνικό μέτρο

	French	English	Spanish	Italian	Portuguese	Greek
10	métro, *n. m.*	metro, underground	metro	metropolitana	metro	μετρό
35	mettre, *v. tr. irr.*	to put	poner	mettere	pôr	βάζω
5	meuble, *n. m.*	piece of furniture	mueble	mobile	móvel	έπιπλο
19	minute, *n. f.*	minute	minuto	minuto	minuto	λεπτό
9	mois, *n. m.*	month	mes	mese	mês	μήνας
20	moment, *n. m.*	moment	momento	momento	momento	στιγμή
26	monde [les gens], *n. m.*	people	munde [gente de]	gente	mundo [a gente]	κόσμος
1	monsieur, *n. m.*	sir, mister	señor	signore	senhor	κύριος
28	montagne, *n. f.*	mountain	montaña	montagna	montanha	βουνό
19	monter, *v. tr./intr.*	to go up	montar	salire	subir	ανεβαίνω
22	mot, *n. m.*	word	palabra	parola	palavra	λέξη
10	moto, *n. f.*	motorcycle	moto	motocicletta	moto	μηχανή
19	mourir, *v. intr. irr.*	to die	morir	morire	morrer	πεθαίνω
20	muguet, *n. m.*	lily of the valley	muguete	mughetto	lírio-do-vale	καμπανούλα [λουλούδι]
5	mur, *n. m.*	wall	pared	muro	parede, muro	τοίχος
16	musculation, *n. f.*	body building	musculación	culturismo	musculação	μυϊκό σύστημα
10	musée, *n. m.*	museum	museo	museo	museu	μουσείο
8	musicien(ne), *n.*	musician	músico	musicista	músico(a)	μουσικός
4	musique classique, *n. f.*	classical music	música clásica	musica classica	música clássica	κλασική μουσική
19	naître, *v. intr. irr.*	to be born	nacer	nascere	nascer	γεννιέμαι
15	natation, *n. f.*	swimming	natación	nuoto	natação	κολύμβηση
1	nationalité, *n. f.*	nationality	nacionalidad	nazionalità	nacionalidade	εθνικότητα
4	nature, *n. f.*	nature	naturaleza	natura	natureza	φύση
20	Noël, *n. m.*	Christmas	navidad	Natale	Natal	Χριστούγεννα
6	noir, *adj.*	black	negro	nero	preto(a)	μαύρος
1	nom, *n. m.*	name	nombre	nome, cognome	nome	επώνυμο
1	non, *adv.*	no	no	no	não	όχι
11	nord, *n. m.*	north	norte	nord	norte	βορράς
16	nouveau/nouvelle, *adj.*	new	nuevo(a)	nuovo(a)	novo(a)	καινούργιος καινούργια
20	nouvel an, *n. m.*	New Year	Año Nuevo	anno nuovo	Ano Novo	Πρωτοχρονιά
33	nuage, *n. m.*	cloud	nube	nuvola	nuvem	σύννεφο
3	numéro, *n. m.*	number	número	numero	número	αριθμός
5	objet, *n. m.*	object	objeto	oggetto	objecto	αντικείμενο
24	œil, *n. m.*	eye	ojo	occhio	olho	μάτι
17	œuf, *n. m.*	egg	huevo	uovo/uova	ovo	αυγό
12	office de tourisme, *n. m.*	tourist office	oficina de turismo	ufficio di turismo	posto de turismo	τουριστικό γραφείο
23	offrir, *v. tr.*	to offer	ofrecer	offrire, regalare	oferecer	προσφέρω
25	opéra, *n. m.*	opera	ópera	opera	ópera	όπερα
8	orange, *n. f.*	orange	naranja	arancia	laranja	πορτοκάλι
23	original, *adj.*	original	original	originale	original	πρωτότυπος
13	ou, *conj.*	or	o	o, oppure	ou	ή
9	où, *adv.*	where	donde	dove	onde	όπου
11	ouest, *n. m.*	west	oeste	ovest	oeste	δύση
1	oui, *adv.*	yes	sí	sì	sim	ναι
26	ouvert, *adj.*	open	abierto	aperto	aberto(a)	ανοιχτός
36	page, *n. f.*	page	página	pagina	página	σελίδα
17	pain, *n. m.*	bread	pan	pane	pão	ψωμί
6	pantalon, *n. m.*	(pair of) trousers	pantalón	pantaloni	calças	παντελόνι
20	papa, *n. m.*	daddy	papá	papà	papá	μπαμπάς
33	parapluie, *n. m.*	umbrella	paraguas	ombrello	guarda-chuva	ομπρέλα
19	parc, *n. m.*	park	parque	parco	parque	πάρκο
27	parce que, *conj.*	because	porque	perché	porque	γιατί
3	pardon, *interj.*	excuse me	perdón	scusi, scusa	desculpe	συγνώμη
29	parents, *n. m. plur.*	parents	padres	genitori	pais	γονείς
11	parfait, *adj.*	perfect	perfecto	perfetto	perfeito(a)	τέλεια
22	parfois, *adv.*	sometimes	a veces	qualche volta	às vezes	μερικές φορές
9	parking, *n. m.*	car park, parking space	aparcamiento	parcheggio	parque de estacionamento	χώρος στάθμευσης
3	parler, *v. tr./intr.*	to speak	hablar	parlare	falar	μιλάω
13	partir, *v. intr.*	to leave	ir (se)	partire	partir	φεύγω
25	pas du tout, *adv.*	not at all	en absoluto	niente affatto	de modo algum	καθόλου
10	passer, *v. tr./intr.*	to go past	pasar	passare	passar	περνάω
30	passer (se), *v. pron.*	to happen	pasar (se)	succedere, accadere	acontecer	συμβαίνω
18	pâtes, *n. f. plur.*	pasta, noodles	pasta	pasta	massas	μακαρόνια
20	pâtisserie, *n. f.*	cake shop	pastelería	pasticceria	pastelaria	γλυκά
27	pause, *n. f.*	break	pausa	pausa	pausa	διάλειμμα
32	pays, *n. m.*	country	país	paese	país	χώρα
8	peintre, *n.*	painter	pintor	pittore/pittrice	pintor(a)	ζωγράφος
2	pendant, *adv.*	during	durante	durante	durante	κατά τη διάρκεια
13	pendule, *n. f.*	clock	péndulo	pendola	relógio	εκκρεμές
26	penser, *v. tr./intr.*	to think	pensar	pensare	pensar	σκέφτομαι
4	père, *n. m.*	father	padre	padre	pai	πατέρας
21	permettre, *v. tr.*	to allow	permitir	permettere	permitir	περίμετρος
6	personne, *n. f.*	person	persona	persona	pessoa	άτομο
6	petit, *adj.*	small	pequeño	piccolo	pequeno(a)	μικρός
20	petit ami, *n. m.*	boy/girlfriend	novio(a)	ragazzo(a)	namorado(a)	το αγόρι μου

	Français	English	Español	Italiano	Português	Ελληνικά
9	petite annonce, n. f.	classified ad	anuncio	annuncio	anúncio	μικρή αγγελία
15	petit déjeuner, n. m.	breakfast	desayuno	colazione	pequeno almoço	πρωινό γεύμα
16	(un) peu, adv.	(a) little	(un) poco	un po'	(um) pouco	λίγο
24	peut-être, adv.	perhaps	quizá	forse	talvez	ίσως
4	photo(graphie), n. f.	photo(graph)	foto(grafia)	foto(grafia)	foto(grafia)	φωτογραφία
2	photographe, n.	photographer	fotógrafo	fotografo	fotógrafo(a)	φωτογράφος
5	pièce, n. f.	room	pieza	stanza	assoalhada	δωμάτιο
10	pied, n. m.	foot	pie	piede	pé	πόδι
11	piscine, n. f.	swimming pool	piscina	piscina	piscina	πισίνα
9	placard, n. m.	cupboard	armario	armadio	armário	ντουλάπι
10	place, n. f.	place	lugar	posto	lugar, sítio	χώρος
21	place [spectacle], n. f.	seat [show]	entrada [espectáculo]	posto	lugar [espectáculo]	θέση
13	place (avoir de la –), loc.	room (to have—)	sitio (tener –)	spazio (avere –)	lugar, espaço (ter –)	χώρος (έχω –)
11	plage, n. f.	beach	playa	spiaggia	praia	παραλία
9	plan, n. m.	plan	plan	piano	planta	σχέδιο
23	plat, n. m.	dish	plato	piatto	prato	πιάτο
30	pleuvoir, v. imp. irr.	to rain	llover	piovere	chover	βρέχει
33	pluie, n. f.	rain	lluvia	pioggia	chuva	βροχή
8	poème, n. m.	poem	poema	poema	poema	ποίημα
8	poète, n. m.	poet	poeta	poeta	poeta	ποιητής
27	point de vue, n. m.	point of view	punto de vista	punto di vista	ponto de vista	οπτική γωνία
22	point faible, n. m.	weak point	punto débil	punto debole	ponto fraco	μειονέκτημα
22	point fort, n. m.	strong point	punto fuerte	punto forte	ponto forte	πλεονέκτημα
17	poisson, n. m.	fish	pez	pesce	peixe	ψάρι
26	pollution, n. f.	pollution	contaminación	inquinamento	poluição	μόλυνση
2	polonais, adj.	Polish	polaco(a)	polacco	polaco	πολωνικός
17	pomme de terre, n. f.	potato	patata	patata	batata	πατάτα
10	pont, n. m.	bridge	puente	ponte	ponte	γέφυρα
12	port, n. m.	port	puerto	porto	porto	λιμάνι
5	porte, n. f.	door	puerta	porta	porta	πόρτα
6	porter, v. tr.	to wear	llevar	portare, indossare	usar [roupa]	φέρνω
6	portrait, n. m.	portrait, description	retrato	ritratto	retrato	πορτρέτο
14	possible, adj.	possible	posible	possibile	possível	πιθανός
10	poste, n. f.	post office	puesto	posta	correios	ταχυδρομείο
26	pour ou contre, adv.	for or against	a favor o en contra	pro o contro	a favor ou contra	υπέρ ή κατά
26	pourquoi, adv.	why	por qué	perché	porquê	γιατί
21	pouvoir, v. aux. irr.	to be able to	poder	potere	poder	μπορώ
28	pratique, adj.	practical	práctico	pratico(a)	prático(a)	πρακτικός
25	préférer, v. tr.	to prefer	preferir	preferire	preferir	προτιμώ
10	prendre, v. tr. irr.	to take	tomar	prendere	ir (por)	παίρνω
1	prénom, n. m.	first name	nombre	nome	nome [de baptismo]	όνομα
15	préparer, v. tr.	to prepare	preparar	preparare	preparar	προετοιμάζω
24	présentation, n. f.	appearance	presentación	presentazione	aparência	παρουσίαση
28	principalement, adv.	mainly	principalmente	principalmente	principalmente	βασικά
12	prison, n. f.	prison	cárcel	prigione	prisão	φυλακή
22	privé, adj.	private	privado	privato	privado(a)	ιδιωτικός
7	prix, n. m.	price	precio	prezzo	preço	τιμή
36	probable, adj.	probable	probable	probabile	provável	πιθανός
22	problème, n. m.	problem	problema	problema	problema	πρόβλημα
13	prochain, adj.	next	próximo	prossimo	próximo(a)	επόμενος
2	professeur, n.	teacher	profesor	professore/ professoressa	professor(a)	καθηγητής
3	profession, n. f.	profession	profesión	professione	profissão	επάγγελμα
34	projet, n. m.	plan	proyecto	programma, progetto	projecto	σχέδιο
16	promener (se), v. pron.	to go for a walk	pasear(se)	passeggiare	passear	κάνω περίπατο
36	publicité, n. f.	advertising	publicidad	pubblicità	publicidade	διαφήμιση
11	puis, adv.	then	entonces	poi	depois	στη συνέχεια
6	pull-over, n. m.	pullover	jersey	pullover, maglione	camisola	πουλόβερ
12	**Q** quai, n. m.	quay	andén	banchina, molo	cais, plataforma	όχθες
22	qualité, n. f.	quality, capacity	calidad	qualità	qualidade	ποιότητα
12	quartier, n. m.	area, neighbourhood	barrio	quartiere	bairro	γειτονιά
7	quantité, n. f.	quantity	cantidad	quantità	quantidade	ποσότητα
4	québécois, adj.	from Quebec	quebequense	del Quebec	quebequense	γαλλοκαναδός
23	quelque chose, pron.	something	algo	qualche cosa	alguma coisa	κάτι
1	question, n. f.	question	pregunta	domanda	questão, pergunta	ερώτηση
25	questionnaire, n. m.	questionnaire	cuestionario	questionario	questionário	ερωτηματολόγιο
23	quitter, v. tr.	to leave	dejar	lasciare	deixar	παρατάω
24	**R** raconter, v. tr.	to tell	contar	raccontare	contar	διηγούμαι
26	raison (avoir –), loc.	right (to be—)]	razón (tener –)	ragione (avere –)	razão (ter –)	δίκιο (έχω)
9	récent, adj.	recent	reciente	recente	recente	πρόσφατος
11	réception, n. f.	reception	recepción	reception	recepção	υποδοχή
22	réceptionniste, n.	receptionist	recepcionista	personale alla reception	recepcionista	ρεσεψιονίστ
7	référence, n. f.	reference	referencia	referenza	referência	αναφορά
16	regarder, v. tr.	to watch	mirar	guardare	assistir [à televisão]	κοιτώ
29	remercier, v. tr.	to thank	dar las gracias agradecer	ringraziare	agradecer	ευχαριστώ
28	rencontrer, v. tr.	to meet	encontrar	incontrare	encontrar	συναντώ

	French	English	Spanish	Italian	Portuguese	Greek
31	**rencontrer (se),** *v. pron.*	to meet (up)	encontrar(se)	incontrarsi	encontrar(-se)	συναντώμαι με
2	**rendez-vous,** *n. m.*	appointment	cita	appuntamento	encontro	ραντεβού
13	**renseignement,** *n. m.*	(piece of) information	información	informazione	informação	πληροφορία
14	**rentrer,** *v. tr.*	to go home	volver	rientrare	voltar	γυρνάω
17	**repas,** *n. m.*	meal	comida	pasto	refeição	γεύμα
25	**répondre,** *v. tr./intr. irr.*	to answer	contestar	rispondere	responder	απαντώ
30	**reportage,** *n. m.*	report	reportaje	servizio	reportagem	ρεπορτάζ
15	**reposer (se),** *v. pron.*	to have a rest	descansar	riposarsi	descansar	ξεκουράζομαι
22	**réserver,** *v. tr.*	to book, reserve	reservar	prenotare	reservar	κάνω κράτηση
28	**résidence secondaire,** *n. f.*	second home	segunda residencia	residenza secondaria	residência secundária	εξοχικό
9	**responsable,** *n.*	manager	responsable	responsabile	responsável	υπεύθυνος
11	**restaurant,** *n. m.* [*fam.* **resto**]	restaurant	restaurante	ristorante	restaurante	εστιατόριο
22	**restauration,** *n. f.*	catering	restauración	ristorazione	restauração	τροφοδοσία
14	**reste,** *n. m.*	rest	resto	resto	resto	υπόλοιπο
14	**rester,** *v. intr.*	to stay, remain	quedarse	rimanere, restare	ficar, permanecer	μένω
28	**résultat,** *n. m.*	result	resultado	risultato	resultado	αποτέλεσμα
16	**retourner,** *v. intr.*	to go back	volver	ritornare	retornar	γυρνάω
23	**retraite (partir à la),** *n. f.*	retirement (to retire)	jubilación (jubilarse)	pensione (andare in)	reforma	σύνταξη (παίρνω)
14	**réunion,** *n. f.*	meeting	reunión	riunione	reunião	σύσκεψη
2	**réussir,** *v. tr./intr.*	to succeed	lograr	riuscire	ter êxito	πετυχαίνω
19	**revenir,** *v. intr. irr.*	to come back	volver	ritornare	voltar	επιστρέφω
27	**rêver,** *v. intr.*	to dream	soñar	sognare	sonhar	ονειρεύομαι
9	**rez-de-chaussée,** *n. m.*	ground floor	planta baja	pianterreno	rez-do-chão	ισόγειο
17	**riz,** *n. m.*	rice	arroz	riso	arroz	ρύζι
6	**robe,** *n. f.*	dress	vestido	vestito	vestido	φουστάνι
10	**rollers,** *n. m. plur.*	roller skates/blades	patines	roller, pattini	patins em linha	πατίνια
20	**romantique,** *adj.*	romantic	romántico(a)	romantico(a)	romântico(a)	ρομαντικός
32	**roue,** *n. f.*	wheel	rueda	ruota	roda	ρόδα, τροχός
6	**rouge,** *adj.*	red	rojo	rosso(a)	vermelho(a)	κόκκινος
30	**rouler,** *v. intr.*	to travel, drive	rodar	viaggiare, circolare	rodar	οδηγώ, κατρακυλώ
30	**route,** *n. f.*	road	carretera	strada	estrada	δρόμος
2	**rue,** *n. f.*	street	calle	via	rua	οδός
5	**sac,** *n. m.*	bag	bolsa	borsa	bolsa, saco	τσάντα
17	**salade,** *n. f.*	salad, lettuce	ensalada	insalata	salada	σαλάτα
9	**salle de bains,** *n. f.*	bathroom	cuarto de baño	stanza da bagno	casa de banho	μπάνιο
35	**salon,** *n. m.*	living room	salón	salotto, soggiorno, salone	salão	σαλόνι
3	**salut,** *n. m.*	hi!	hola	ciao	olá	γεια
13	**samedi,** *n. m.*	Saturday	sábado	sabato	sábado	Σάββατο
22	**savoir,** *v. tr. irr.*	to know	saber	sapere	saber	ξέρω, γνωρίζω
8	**sculpteur,** *n.*	sculptor	escultor	scultore/scultrice	escultor(a)	γλύπτης
2	**secrétaire,** *n.*	secretary	secretario	segretario(a)	secretário(a)	γραμματέας
14	**semaine,** *n. f.*	week	semana	settimana	semana	εβδομάδα
4	**sénégalais,** *adj.*	Senegalese	senegalés	senegalese	senegalês	σενεγαλέζικος
4	**serveur/serveuse,** *n.*	waiter/waitress	camarero(a)	cameriere(a)	empregado(a) de mesa	σερβιτόρος/σερβιτόρα
14	**seulement,** *adv.*	only	sólamente	soltanto, solamente	somente	μόνο
25	**sexe,** *n. m.*	sex	sexo	sesso	sexo	φύλλο
2	**s'il vous plaît,** *loc.*	please	por favor	per favore	se faz favor	παρακαλώ
7	**site Internet,** *n. m.*	Web site	sitio internet	sito Internet	site Internet	διεύθυνση
15	**ski,** *n. m.*	skiing	esquí	sci	esqui	σκι
14	**société,** *n. f.*	company	sociedad	società	sociedade	κοινωνία
4	**sœur,** *n. f.*	sister	hermana	sorella	irmã	αδελφή
14	**soir,** *n. m.*	evening	tarde	sera	noite	βράδι
19	**soirée,** *n. f.*	evening	fiesta	serata	noite	βραδιά
27	**soleil,** *n. m.*	sun	sol	sole	sol	ήλιος
9	**sombre,** *adj.*	dark	sombra	scuro(a)	sombra	σκοτεινός
16	**sortir,** *v. intr.*	to go out	salir	uscire	sair	βγαίνω
22	**souriant,** *adj.*	smiling	sonriente	sorridente	sorridente	χαμογελαστός
5	**sous,** *prép.*	under	bajo	sotto	por baixo	κάτω
20	**souvenir,** *n. m.*	memory	recuerdo	ricordo	lembrança	ενθύμιο
29	**souvenir (se),** *v. pron. irr.*	to remember	acordar(se)	ricordare, ricordarsi	lembrar(-se)	θυμάμαι
4	**souvent,** *adv.*	often	a menudo	spesso	frequentemente	συχνά
4	**sport,** *n. m.*	sport	deporte	sport	desporto	άθλημα
28	**sportif,** *adj.*	athletic	deportivo(a)	sportivo	desportivo	αθλητικός
16	**stress,** *n. m.*	stress	estrés	stress	stress	άγχος
17	**sucre,** *n. m.*	sugar	azúcar	zucchero	açúcar	ζάχαρη
11	**sud,** *n. m.*	south	sur	sud	sul	νότος
30	**suivre,** *v. tr. irr.*	to follow	seguir	seguire	seguir	ακολουθώ
27	**super,** *adj.*	great, fantastic	super	super	porreiro(a)	υπέροχος
35	**supprimer,** *v. tr.*	to get rid of	suprimir	sopprimere	suprimir	διαγράφω
5	**sur,** *prép.*	on	sobre	su	por cima	επάνω
33	**sûr,** *adj.*	sure	seguro	sicuro	seguro(a)	σίγουρος
14	**surprise,** *n. f.*	surprise	sorpresa	sorpresa	surpresa	έκπληξη
32	**symbole,** *n. m.*	symbol	símbolo	simbolo	símbolo	σύμβολο
2	**sympa,** *adj.*	nice, friendly	simpático	simpatico	agradável	συμπαθητικός
5	**table,** *n. f.*	table	mesa	tavolo	mesa	τραπέζι
7	**taille,** *n. f.*	size	talla	misura, taglia	tamanho	μέγεθος

8	**tapis**, *n. m.*	carpet	alfombra	tappeto	tapete	χαλί
14	**tard**, *adv.*	late	tarde	tardi	tarde	αργά
13	**tarif**, *n. m.*	price	tarifa	tariffa	tarifa, preço	τιμή
6	**tee-shirt**, *n. m.*	tee-shirt	camiseta	maglietta	tee-shirt	κοντομάνικη μπλούζα
21	**téléphone portable**, *n. m.*	mobile phone	teléfono móvil	cellulare	telemóvel	κινητό τηλέφωνο
18	**téléphoner**, *v. intr.*	to phone	llamar por teléfono	telefonare	telefonar	τηλεφωνώ
11	**télévision**, *n. f.*	television	televisión	televisione	televisão	τηλεόραση
30	**témoignage**, *n. m.*	report, account	testimonio	testimonianza	testemunho	μαρτυρία
33	**température**, *n. f.*	temperature	temperatura	temperatura	temperatura	θερμοκρασία
33	**temps**, *n. m.*	weather	tiempo	tempo	tempo	καιρός
23	**tenir**, *v. tr. irr.*	to hold	tener	tenere	segurar	κρατάω
16	**terminer (se)**, *v. pron.*	to end	acabar(se)	finire, terminare	terminar, acabar(-se)	τελειώνω
11	**terrasse**, *n. f.*	terrace	terraza	terrazza, terrazzo	terraço, esplanada	βεράντα
30	**terrifié**, *adj.*	terrified	aterrorizado	terrorizzato	aterrado(a)	τρομαγμένος
12	**TGV (Train à grande vitesse)**, *n. m.*	TGV/high-speed train	AVE	Treno ad Alta Velocità	comboio francês de alta velocidade	τρένο μεγάλης ταχύτητας
2	**thé**, *n. m.*	tea	té	tè	chá	τσάι
16	**toilette (faire sa –)**, *loc.*	washed (to get—)	lavar(se)	toletta (fare –)	lavar-se	πλένομαι
9	**toilettes**, *n. f. plur.*	toilet	baños	toilettes, bagno	casa de banho	τουαλέτα
19	**tomber**, *v. intr.*	to fall	tumbar	cadere	cair	πέφτω
14	**tôt**, *adv.*	early	pronto	presto	cedo	νωρίς
27	**toujours**, *adv.*	always	siempre	sempre	sempre	πάντα
32	**tour [bâtiment]**, *n. f.*	tower	vuelta	torre	torre	μεγάλο κτίριο, ουρανοξύστης
12	**tourisme**, *n. m.*	tourism	turismo	turismo	turismo	τουρισμός
14	**tout**, *adv.*	all	todo	tutto	tudo	τα πάντα
35	**tout de suite**, *adv.*	immediately	enseguida	subito, immediatamente	imediatamente	αμέσως
26	**tout le monde**, *loc.*	everyone	todo el mundo	tutti	toda a gente	ο καθένας
12	**train**, *n. m.*	train	tren	treno	comboio	τρένο
28	**tranquille**, *adj.*	calm, tranquil	tranquilo	tranquillo(a)	tranquilo(a)	ήσυχος
14	**travailler**, *v. tr./intr.*	to work	trabajar	lavorare	trabalhar	δουλεύω
35	**travaux (faire des –)**, *loc.*	work (to have—done)	obras	lavori (fare dei –)	trabalhos, obras (fazer –)	έργα (κάνω –)
10	**traverser**, *v. tr.*	to cross	atravesar	attraversare	atravessar	διασχίζω
7	**très**, *adv.*	very	muy	molto	muito	πολύ
26	**trop**, *adv.*	too much	demasiado	troppo	demais	πάρα πολύ
7	**trouver**, *v. tr.*	to think of, to find	encontrar	trovare	achar	βρίσκω
7	**type**, *n. m.*	guy, chap	tipo	tipo	tipo, gajo	τύπος
4	**un peu**, *adv.*	a little	un poco	un po'	um pouco	λίγο
24	**utiliser**, *v. tr.*	to use	utilizar	utilizzare	utilizar	χρησιμοποιώ
14	**vacances**, *n. f. plur.*	holidays	vacaciones	vacanze	férias	διακοπές
5	**vase**, *n. m.*	vase	jarrón	vaso	vaso	βάζο
10	**vélo**, *n. m.*	bicycle	bicicleta	bici(cletta)	bicicleta	ποδήλατο
24	**vendre**, *v. tr. irr.*	to sell	vender	vendere	vender	πουλάω
13	**vendredi**, *n. m.*	Friday	viernes	venerdì	sexta-feira	Παρασκευή
19	**venir**, *v. intr. irr.*	to come	venir	venire	vir	έρχομαι
5	**verre**, *n. m.*	glass	vaso	bicchiere	copo	ποτήρι
18	**verre (prendre un –)**, *loc.*	drink (to have a—)	copa (tomar una –)	bere qualcosa	copo (tomar um –)	ποτήρι (πίνω ένα –)
15	**vers**, *prép.*	at about [time]	hacia	verso	à volta de	προς
6	**vert**, *adj.*	green	verde	verde	verde	πράσινος
6	**vêtement**, *n. m.*	article of clothing	vestido	vestito	roupa	ρούχα
17	**viande**, *n. f.*	meat	carne	carne	carne	κρέας
24	**vie**, *n. f.*	life	vida	vita	vida	ζωή
11	**ville**, *n. f.*	town, city	ciudad	città	cidade	πόλη
17	**vin**, *n. m.*	wine	vino	vino	vinho	κρασί
11	**visiter**, *v. tr.*	to visit	visitar	visitare	visitar	επισκέπτομαι
30	**vite**, *adv.*	quickly	rápido	presto	depressa	γρήγορα
27	**vivement**, *adv.*	I'm looking forward to…	que llegue(n) pronto	evviva	vivamente	ανυπομονώ
26	**vivre**, *v. intr. irr.*	to live	vivir	vivere	viver	ζω
13	**voie**, *n. f.*	platform	vía	binario	plataforma [de estação]	λωρίδα
11	**voilà**, *prép.*	there you are	toma, vale	ecco	eis aí	ορίστε
14	**voir**, *v. tr. irr.*	to see	ver	vedere	ver	βλέπω
1	**voisin(e)**, *n.*	neighbour	vecino(a)	vicino(a)	vizinho(a)	γείτονας
10	**voiture**, *n. f.*	car	coche	macchina	carro	αυτοκίνητο
21	**voiture [train]**, *n. f.*	carriage	vagón	vettura	carruagem	βαγόνι
4	**volley-ball**, *n. m.*	volleyball	balón-bolea	palla a mano	voleibol	βόλεϊ
22	**vouloir**, *v. tr. irr.*	to want	querer	volere	querer	θέλω, επιθυμώ
11	**voyage**, *n. m.*	journey, travel	viaje	viaggio	viagem	ταξίδι
27	**vraiment**, *adv.*	really	de verdad	veramente	mesmo	αλήθεια
11	**week-end**, *n. m.*	weekend	fin de semana	fine settimana	fim-de-semana	σαββατοκύριακο
16	**yaourt**, *n. m.*	yoghurt	yogur	yogurt	iogurte	γιαούρτι

La langue française dans le monde

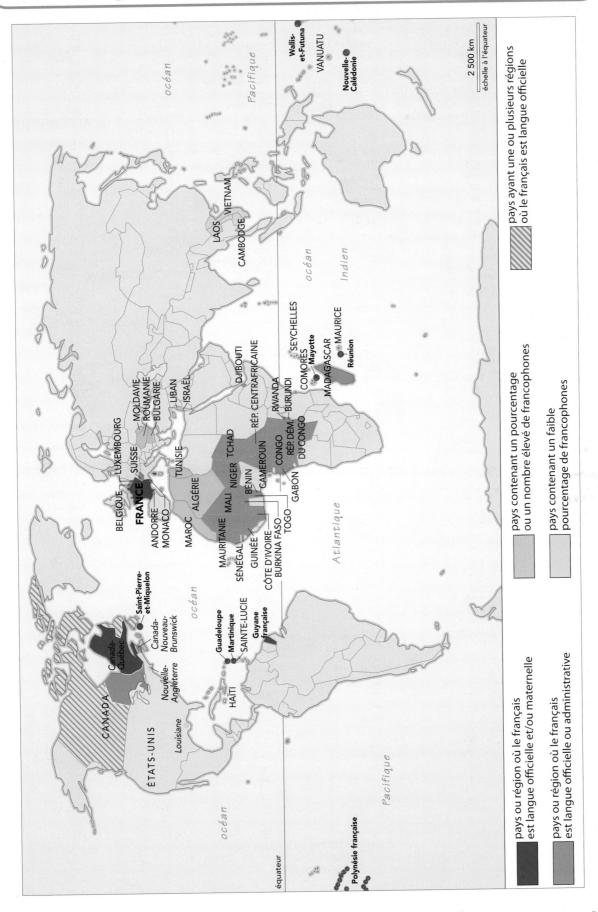

échelle à l'équateur — 2 500 km

pays ayant une ou plusieurs régions
où le français est langue officielle

pays contenant un pourcentage
ou un nombre élevé de francophones

pays contenant un faible
pourcentage de francophones

pays ou région où le français
est langue officielle et/ou maternelle

pays ou région où le français
est langue officielle ou administrative

Wallis-
et-Futuna
VANUATU
Nouvelle-
Calédonie

océan Pacifique

océan Indien

Atlantique

océan Pacifique

équateur

Polynésie française

VIETNAM
LAOS
CAMBODGE

MOLDAVIE
ROUMANE
BULGARIE
LIBAN
ISRAËL
LUXEMBOURG
SUISSE
BELGIQUE
FRANCE
ANDORRE
MONACO
TUNISIE
ALGÉRIE
MAROC
MAURITANIE
MALI
NIGER
TCHAD
SÉNÉGAL
GUINÉE
BURKINA FASO
CÔTE D'IVOIRE
TOGO
BÉNIN
GABON
CAMEROUN
CONGO
RÉP. DÉM.
DU CONGO
RÉP. CENTRAFRICAINE
DJIBOUTI
RWANDA
BURUNDI
SEYCHELLES
COMORES
Mayotte
MADAGASCAR
MAURICE
Réunion

CANADA
Canada-
Québec
Canada-
Nouveau-
Brunswick
Saint-Pierre-
et-Miquelon
Nouvelle-
Angleterre
ÉTATS-UNIS
Louisiane
HAÏTI
Guadeloupe
Martinique
SAINTE-LUCIE
Guyane
française

La France touristique

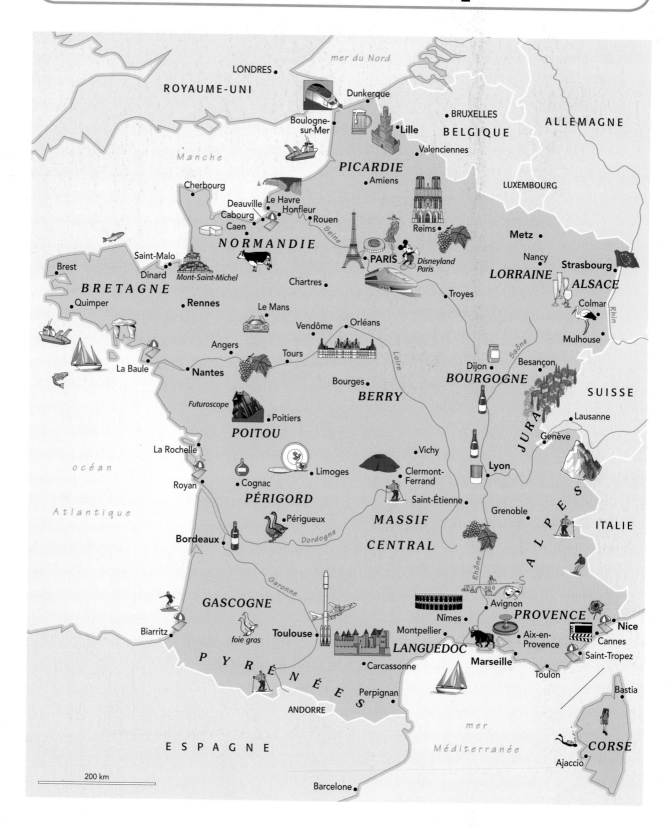

La France touristique

Achevé d'imprimer en Italie par Rotolito
depôt légal : 11/2008 - Collection n° 45 - Edition 01
15/5548/1